Steidele, Raphael Jo.

Abhandlung von der Geburtshülfe

Steidele, Raphael Johann

Abhandlung von der Geburtshülfe

Inktank publishing, 2018

www.inktank-publishing.com

ISBN/EAN: 9783747784778

All rights reserved

Raphael Steidele,

Der Chirurgie Doktor, kaiserlicher königlicher Rath, der praktischen
Chirurgie, und der theoretischen Geburtshülfe öffentlicher Lehrer,
der kaiserlich = königlichen Josephinisch = medicinisch chirurgischen
Akademie Mitglied

Abhandlung
von der
Geburtshülfe

Vierter Theil.

Vom Gebrauch der Instrumente.

de. Senné et gravé par J.C de Renzperger.

WIEN,
gedruckt bey Johann Thomas Edlen von Trattnern,
k. k. Hofbuchdrucker und Buchhändler.
1803.

Vorbericht.

Alle Welt kennet heut zu Tage den Werth der Entbindungskunst, welche aber viel schätzbarer und dem Staate nützlicher wäre, wenn sie von geschickten Geburtshelfern ausgeübet würde. Der alte Gebrauch, die natürliche Schamhaftigkeit und die allgemeine Furcht vor einem Geburtshelfer sind die Bewegursachen, welche die meisten Frauen dahin bewegen, sich blos allein von Personen ihres Geschlechts in jener harten Stunde ihrer Niederkunft helfen zu lassen. Aber eben diese ungegründete Furcht, und die unzulängliche Erkenntniß einer glücklichern Entbindungsart waren auch die Ursachen so vieler traurigen Folgen. Aber unser Daseyn ist ein Beweis? — der natürlichen Kräften, selten der Geschicklichkeit, die wenige Hebammen besitzen! Unzählig aufgezeichnete Beyspiele ver-

unglückter Geburten und die dahero gemachten
weisen Verordnungen mitleidiger Monarchen
überzeugen uns, wie unglücklich vormahls die
Geburtshülfe ausgeübet wurde. Theils durch
den Trieb der Menschheit, theils durch die Huld
der Gütigsten der Landesfürsten aufgemuntert
thaten sich Männer hervor, welche den heillosen
Verfahrungen sich aus allen Kräften entgegen
setzten. Selbst Ruysch jener grosse Zergliederer,
van Hoorn königlich ‧ Dänischer Leibarzt, Re-
derer, Heister, Manningham, Smellie, Mauri-
ceau, Deventer, Dionis, Levret und andere mehr
entschlossen sich, diese so nothwendige als ge-
fahrvolle Kunst auszuüben. Durch ihr güti-
ges Betragen, weise Anordnungen und Geschicklichkeit retteten sie manche theure Gemahlinn,
sie erhielten denen Kindern ihre Mütter, sie ga-
ben der Mutter den Lohn ihrer beschwerlichen
Arbeit. Sie erhielten königliche Thronfolger
zum Wohl des Staates, die sonst ein blutiges
Opfer der Unwissenheit geworden wären. Durch
das klägliche Geschrey so vieler Männer und
durch das Heulen mütterloser Kinder geschre-
cket, entschlossen sich einige Gebährende die Hülfe

se der Geburtshelfer anzusuchen; doch nur, wenn sie dem nahen Tod entgegen sahen. Die glückliche Erhaltung so vieler verloren gehaltener Kinder und Mütter bewegte dann mehrere sich im Nothfall ihrer zu bedienen.

Doch beynahe sah man wiederum alle Hoffnung einer gewünschten Aufnahme der Entbindungskunst zu Grunde gehen. Die Gewinnsucht reitzte einige in dieser Kunst Unerfahrne dieselbe auszuüben: und der Erfolg ihrer verwägenen Handlungen konnte nicht anders als unglücklich ausfallen. Wenn sie aus Abgang nöthiger Kenntniße, Vortheile, und Handgriffe mit den Händen allein nicht mehr helfen konnten, so griffen sie zu den Waffen: sie bedienten sich verschiedener scharfen Haken und Zangen, die meistens Erfindungen ihrer eigenen hirnlosen Köpfe waren, womit sie die Kinder im Mutterleibe leblos machten, ja einigemahl schreyend aber tödtlich verwundet herauszogen: wie uns der berühmte Hr. Professor Cranz in seiner Dissertatione de re instrumentaria in arte obstetricia ein dergleichen unmenschliches Beyspiel erzählet. Andere wiederum die unglückglückselige Gebährenden sammt ihren Kindern auf das schändlichste hinrichteten, oder doch auf die Zeit ihres Lebens elend und mühselig machten. Ja selbsten Geburtshelfer waren nicht zufrieden nur allein todte Kinder mit dergleichen schädlichen Werkzeugen herauszuziehen; sie machten es wie jene, entweder sie hatten wenige Erfahrung, oder sie wollten aus sträflicher Ungedulb und mißlungenen Versuchen die stumpfen Instrumente nicht mehr anlegen, noch weniger mit leeren Händen arbeiten. Diese Herren bekümmerten sich wenig, was die natürlichen Folgen davon seyn möchten. Sie fanden nicht das geringste weder in ihrem Kopfe noch in ihrem Herzen, das der armen Menschheit bey ihnen das Wort geredet hätte. Sie waren taub gegen das Wehekagen dieser Unglückseligen, und diese schädlichen Gehülfen foderten mit einer ehernen Stirne noch Belohnung für ihre übeln Dienste. Andere hinwiederum glichen jenen Wilden, die um die Frucht eines Baumes habhaft zu werden, kein bequemeres Mittel wußten, als den Baum umzuhauen: also machten es auch einige verwägene Geburts-

hurtshelfer, die aus Ermanglung genugsamer
Kenntnisse ohne Noth ganz unverantwortlich
den Kaiserschnitt machten, die Mutter ihres Lebens beraubten, und doch das Kind nicht retteten.

Der nicht immer glückliche Erfindungsgeist
brachte auch Sägen, Bohrer und verschiedene
Messer hervor, mit welchen einige sonst geschickte
Geburtshelfer die eingekeilten Köpfe todter
Kinder enthirneten und zertrümmerten, aber allezeit die Geburtstheile der Frau verletzten. Dergleichen Verfahren konnte der Kunst wenig Ehre bringen. Die Weiber posaunten: alle ihre
Beredsamkeit wendeten sie an, die künftig Gebährenden zu überzeugen, wie gefährlich solche
Geburtshelfer wären. So grosse Neigung dieselbe zu den Geburtshelfern hatten, eben so viele Verachtung und Abscheu liessen sie alsdann
gegen selbe blicken.

Um auch diesen schädlichen Handlungen Einhalt zu thun, den finstern Nebel der Unwissenheit zu zertheilen, und die Geburtshülfe in eine
glücklichere und dauerhaftere Aufnahme zu
bringen, errichtete man öffentliche Schulen: die
Ge-

Geburtshelfer wurden unterrichtet, und ge=
hörig geprüfet. Ungeachtet herrschen doch noch
viele Irrthümer unter selben, welche der Mangel der Erfahrung hervorbringet. Einige wiß=
sen nicht die ächte Zeit, die kein Lehrer so regel=
mäßig bestimmen kann, weder die Vortheile die
Zange zu gebrauchen. Wenn ihnen ein Versuch
übel geräth, oder sie bemerken einen stärkeren
Widerstand, so lassen sie nach: sie erwarten den
Tod des Kindes und eröffnen solches. Oefters
senken sie zu früh das tödtliche Eisen in den
Kopf des todtscheinenden Kindes hinein, welches vielleicht lebendig auf eine gelindere Art
hätte herausgeschaffet werden können. Und
wenn das Kind wirklich todt wäre, so solle man
doch allezeit dem Gebrauch mit scharfen Instrumenten entsagen, wenn man noch mit stumpfen helfen, oder mit der Hand alleine, ohne
die äußersten Mittel, deren Nahme schon schrecklich ist, die widernatürliche Lage des Kindes in
eine Fußgeburt verändern kann; indem das
Kind durch die Fäulung weicher wird, und die
Einbringung der Hand viel leichter machet; wie
ich in meinem Lehrbuch von der Hebammenkunst

ge=

10

gelehret habe. Wenn der Kopf in der Beckenhöhle stehet: so soll man allezeit die stumpfen
Instrumente, nämlich die Zange, gebrauchen; es
müßten nur unüberwindliche Hindernisse die
Anlegung derselben unmöglich machen.

Die Levretische krumme Zange ist das einzige
Instrument, welches aus allen vorzüglich verdienet angerühmet zu werden. Sie drucket
den Kopf des Kindes in eine länglichte Gestalt,
ohne dem Leben des Kindes zu schaden. Wenn
man die Zange zu gehöriger Zeit anleget, alle
Regeln und Vortheile bey dem Gebrauch derselben auf das genaueste beobachtet: wenn man
die erforderliche Behutsamkeit, Geschicklichkeit,
Geduld und Kräften (Geschenke der Natur, die
manchen fehlen und selten beysammen sind) in
gleichem Grade besitzet: so wird man fast allezeit
zu Stande kommen. Wenn der Kopf, aus was
immer für Ursachen, in der Höhle des Beckens
stecket, und weder zurückgeschoben, noch von
der entkräfteten Mutter durchgedrucket werden
kann: so weiß ich, um die Entbindung zu bewerkstelligen, öfters auch das Kind dem unvermei-
dentlichen Tode zu entreißen, kein anders Mittel,

11

tel, welches ſicherer und wirkſamer wäre, als
den Gebrauch der Zange; ſie iſt folglich jedem
Geburtshelfer unentbehrlich.

Wenn man aber die engen Schleichwege,
durch welche man die Zange bringen muß, und
den Widerſtand von Seiten des Grunds der
Hirnſchale ſich vorſtellet: wenn man die verſchie-
denen Lagen des Kopfs, die üble Geſtalt des
Beckens, die wunderbare Figur der Zange, derſelben mechaniſche Wirkung und künſtliche
Bewegungen, die man bey der Anlegung mit
ſelber machen muß, in Betrachtung ziehet: ſo
wird man leicht begreifen, warum ſo viele Geburtshelfer bey dem Gebrauch derſelben unglücklich waren, dahero die Zange verachtet,
und als ein ſchädliches Werkzeug öffentlich erkläret haben. Die unzulängliche Betrachtung
dieſes Inſtruments, deſſen Bau und Wirkung
ſie nicht recht kannten, und des Zuſammenhan-
ges erſtbemeldter Hinderniſſe und Umſtände
war alſo die Urſache, warum ſie die Zange entweder gar nicht, oder nicht weit genug hineingebracht, mit den Obertheilen derſelben die
Schlafgegenden des Kopfs eingedrucket, und
die

12

die Zange ausgeglitschet ganz gähe und wider
ihren Willen herausgerissen haben. Die öf-
teren Versuche, dieselbe an Leichnamen, in welche man nach herausgenommener Gebährmutter todte Kinder hineinstecket, anzulegen, ver-
schaffen die nöthige Geschicklichkeit: diese Uebung
ist die einzige, beste, und unumgänglich noth-
wendigste, weil sie theils die richtige Anwendung
aller Vortheile und Handgriffe, theils auch
den Grad der Stärke, mit welcher man das
Kind an- und herausziehet, genau kennen lehret. Diese Uebung in Leichnamen ist der alleinige und sichere Weg praktische Geburtshelfer
zu bilden. Alle Maschinen heissen nichts: ja sie
sind vielen Lehrlingen mehr schädlich als nützlich, weil sie sich die gröbste Behandlungsart
unwillkührlich angewöhnen — den eingetretenen Theil des ledernen Kinds nicht so leicht,
als eines natürlichen erkennen — und die währender Operation demselben zugefügte Beschä-
digung nachher eben so wenig wahrnehmen,
und sich dadurch belehren könnten. Sie sind
blos dazumahl einigermassen brauchbar, wenn
man

13

man ihnen die ersten und erforderlichsten Handgriffe begreiflich machen will.

Wie groß auch, ja unschätzbar der Werth der Zange sey, wenn sie geschickte Hände leiten: so muß man doch bekennen, daß es dergestalten gewaltige, obwohlen sehr seltene Hindernisse gebe, welche derselben Gränzen setzen: dergleichen sind, der allzugrosse Kopf, oder ein sehr enges Becken. Durch die Aushirnung wird der Kopf kleiner, und folglich zum durchziehen geschickter gemacht. Zu dem Ende hat man verschiedene scharfe, stechend- und schneidende Instrumente ausgedacht. Weil aber die meisten die Geburtstheile der Gebährenden verletzen, so hat man solche auf immer verbannet. Man bedienet sich heut zu Tage nur des Perforatorii und eines, selten zweyer stumpfen Haken, die man auch zu Eröffnung einer monstrosen Brust zu gebrauchen pfleget. Die Zeichen des todten Kindes machen anjetzo den einzigen Gegenstand der Aufmerksamkeit eines gewissenhaften Geburtshelfers aus. Mit Furcht und Zittern zweifelt er, ob selbes auch wirklich todt, oder annoch lebendig sey. Er muß gewiß versichert seyn, wenn er diese

se nothwendige Grausamkeit ausüben will; denn das noch lebende Kind der Mutter aufzuopfern, wie es einige gewissenlose Geburtshelfer lehren, und gethan haben, verbieten uns die göttliche und menschliche Gesetze. Die Theologen der Sorbonne, des Hauses Navarra und andere mehr erklären alle jene einer Todsünde schuldig, welche um die Mutter zu erhalten, das Kind um das Leben bringen, und sodann herausziehen. Vid. die gelehrte Dissert. des Hrn. Hofrath v. Störk de Concept. part. natur. difficil. et præternat. pag. 56.

In diesem Werke findet man von dem Gebärmutterbruch eine umständliche Erläuterung, damit ein Geburtshelfer in der Erkenntniß derselben und in der Hülfleistung keine Fehler begehe. Meine angerathene Methode scheinet weniger grausam und gefährlich zu seyn. Man hat in diesem Fall den Kaiserschnitt angerathen, auf welchen aber meiner Meinung nach gar nicht zu denken ist.

Ich habe in diesem Werke die Eröffnung der Brust beschrieben. Diese Operation ist gar selten und nur in jenem Falle angezeiget, wenn

näm=

nämlich die Brust übernatürlich groß und monstros, oder das Becken sehr enge ist. Vormahls hat man diese Operation unternommen, wenn die Hebammen den vorgefallenen Arm dergestalten vor die Scham herausgezogen haben, daß die Brust des Kindes, ja fast der ganze obere Leib in der Beckenhöhle eingepreßt war. Heut zu Tage geschiehet dieses nicht mehr oder sehr selten.

Daß ich dem Roonhuysischen Hebel seinen Werth zu mindern mich erkühne, wird man mir nicht übel nehmen. Die öfters fehlgeschlagenen, ja einigemahl unglücklich abgelaufenen Versuche einiger Geburtshelfer haben mich dazu veranlasset. Ich werde beweisen, daß dieses unschuldigscheinende Instrument öfters der Mutter und dem Kinde schadet, selten aber nutzet.

Ich habe rückwärts nur die brauchbarsten, und unentbehrlichsten Instrumente nach der Natur abgebildet vorgestellt.

Nicht von dem lächerlichen Eifer blos zu schreiben, sondern von der Begierde etwas nützliches zu thun, und Merkmale meines guten Willens für meine Nebengeschöpfe blicken zu lassen

hin-

hingeriſſen, verfaßte ich dieſes Werk, welches
ich und mich ſelbſt mit dem Bewußtſeyn einer
redlichen Geſinnung hiemit dem Schickſal über-
laſſe. Ich habe darinnen alle aus meiner und
anderer geſchickter Männer Erfahrung erlang-
ten Kenntniße und Vortheile in Abſicht auf die
Anlegung der Inſtrumente unverfälſcht vorgetragen, und über die wichtigſten Operationen in
der Geburtshülfe meine Meinung erkläret.
Mein Vorhaben iſt nur, die Schüler und
Fremdlinge zu unterrichten, und ſie von dem
unzeitigen Gebrauch beſonders der ſcharfen Inſtrumente zu warnen. Möchten auch die wirklichen Geburtshelfer bey ſich ereignenden ſchwe-
ren Fällen nur einigemahlen meinem wohlmeinenden Rathe folgen. Was noch wünſchens-
werth wäre, iſt, daß alle Stadt-Feld-und Land-
wundärzte dieſe ſo nützlich als nothwendige
Kunſt erlernen möchten. Wie ſelten beſonders
zu Friedenszeiten, kömmt eine erhebliche chirur-
giſche Operation vor? und dieſe rettet nur einen Menſchen: — wo hingegen ungleich mehr
widernatürliche Geburten vorfallen, welche
das Leben zweyer Perſonen auf das Spiel ſe-
ßen,

17

tzen, und nicht selten tödtlich hinreiſſen. Ungeachtet ſie gar keine oder nur verworrene Kenntniſſe von der Entbindungskunſt haben, ſo laſſen ſie ſich doch aus Gewinnſucht angereitzt, wenn man ſie ruft, bey widernatürlichen Geburten brauchen, und verunglücken ſelbe. Wäre es dann unbillig, wenn man alle ſtudierenden Wundärzte dahin anzuhalten dächte, daß ſie dieſe der Menſchheit ſo unentbehrliche Kunſt ordentlich erlernten; man ſetzet ſie dadurch auſſer Stand zu ſchaden, und befördert andererſeits das Wohl ſo vieler leidenden, theils auch ihren eigenen Nutzen. Und was noch in Betrachtung kömmt, iſt dieſes, daß viele und verſchiedene organiſche Krankheiten der inn- und äuſſerlichen Geburtstheile vorkommen, theils auch andere urſprünglich von der Schwangerſchaft, Geburt, und Kindbette zu entſtehen pflegen, welche ohne der praktiſchen Geburtshülfe ſchwer zu erkennen, und noch ſchwerer zu heilen ſind. Es erhellet alſo aus dieſen, daß die Erlernung dieſer Kunſt den Aerzten ſo wohl als Wundärzten gleich nothwendig ſeye.

In-

)( )(IV. Ka.

19

IV. Kapitel.

Die Art einen abgeriſſenen und in dem Leib der Gebährenden zurückgebliebenen Kopf mit Inſtrumenten herauszubringen. 86

V. Kapitel.

Von der Eröffnung der Bruſt. 96

VI. Kapitel.

Von dem Gebärmutterbruch. 105

VII. Kapitel.

Von der Schambeintrennung. 112

VIII. Kapitel.

Von dem Kaiſerſchnitt. 121

IX. Kapitel.

Von der Wirkung des Roonhuyſiſchen Hebels. 158

X. Kapitel.

Anmerkungen über verſchiedene Gegenſtände in der Geburtshülfe hauptſächlich die Blutſtürzung betreffend. 171

Geſchichte eines Kaiſerſchnitts. 205

I. Ka

Erstes Kapitel.

Allgemeine praktische Regeln, welche man bey Anlegung der Instrumente zu beobachten hat.

Es ist vor allen nothwendig in Absicht auf die Vorbereitung zur Instrumentoperation, gewisse allgemeine Regeln fest zu setzen, welche uns die Erfahrung anbietet: von derer strengen Beobachtung, oder Verachtung und Vergessenheit, der glückliche oder unglückliche Ausgang aller Handlungen abhanget.

Wenn man nicht hinlänglich von dem Tode des Kindes überzeuget ist, so taufet man es mit Bedingung. Sollte die üble Beschaffenheit der Gebährenden Lebensgefahr drohen: so müßte man sie erinnern ihr letztwilliges Geschäft zu machen, und

Steidele Geburtsh. IV.Th: A   sich

sich nach dem Religionsgebrauch mit Gott zu vereinigen. Wenn man dann nach diesen zur Ver-
sicherung ihres ewigen Wohls vollbrachten höchst
nothwendigen Handlungen sie zu erhalten noch einige Hoffnung hat: so muß man ohne Verweilen die
Operation unternehmen, und die wenige noch übrige aber entscheidende Augenblicke ihres matten Lebens zu dessen Rettung anwenden.

Man muß wohl überlegen, ob die Gebährende annoch im Stande sey die öfters lang daurende
Operation auszuhalten. Denn wenn man vorsiehet, daß selbe ungeachtet dessen, vielleicht wegen
der Gegenwart des Brandes nicht erhalten werden
könnte, oder wegen tödtlichen Fraisen, oder einer
erlittnen starken Blutstürzung schon sterbend wäre:
so müßte man sie nicht mehr anrühren; sonst würde es heißen, der Geburtshelfer habe sie umgebracht:
man würde sich nur eine unauslöschliche Schande
zuziehen, und unverdiente Vorwürfe zu gewarten
haben. Doch muß man auch die Gebährende niemahls verlassen, und die unglückselige aus einer
schändlichen Kleinmuth ihrem tödtlichen Schicksal
überlassen, wenn auch wirklich was immer für üble
Zufälle Gefahr drohten, oder eine Entzündung vorhanden oder der Brand im Anzuge wäre. Man
muß mit Einverständniß eines Arztes (der mehr
ge-

geschickt als eigensinnig ist) durch wiederholtes Ader=
lassen, inn= und äußerliche antiphlogistische Mit=
tel die Entzündung zu zertheilen, dem Brand aber
durch herzstärkende und der Fäulniß widerstehende
Arzneyen Schranken zu setzen trachten. Wie viele
Gebährende hat nicht eine kühne und erfahrne Hand
dem Tode entrissen, die schon alle Umstehende be=
weinten! Ich selbst war so glücklich einige zu retten,
an denen ich die Operation mit dem besten Erfolg
gewaget habe; die Ehre sey dem verdienstvollen
Herrn Professor Lebmacher eigen, dem ich vielen
Dank schuldig bin; er hat mich öfters und weislich
erinnert, keine Gefahr zu scheuen, wenn anderst
noch ein Schein der Hoffnung übrig ist.

Die Gegenwart des Geistes in bringenden Fäl=
len, die lobenswerthe Gelassenheit bey der Erfor=
schung, und eine vorzügliche Beurtheilungskraft
sind die Eigenschaften, die ein jeder Geburtshelfer
besitzen soll: sie werden ihn auf die wahre Erkennt=
niß der Sache bringen, ihm die Art der Hülflei=
stung anzeigen, und den Erfolg der Operation vor=
aussehen lassen. Er muß um seine Ehre zu retten,
niemahlen mehr versprechen, als was er halten kann:
weder die leidende Mutter mit erdichteten Gefahren
schrecken; wodurch sie kleinmüthig werden, und öf=
ters in Fraisen verfallen kann; man solle sie viel=

mehr mit tröstenden Worten aufzurichten trachten.
Man muß ihnen die Nothwendigkeit und die Art,
sie mit Instrumenten zu entbinden vorhero vorstellen, keiner aber Gewalt anthun, wenn sie sich wi-
dersezet. Sollte sie durch das Gefühl der häufigen
Schmerzen ganz außer sich selbsten gesetzet währender Operation sich auf dem Bette hin und her werfen, und den Geburtshelfer in seiner Arbeit hindern:
so muß er sie zur Geduld vermahnen, aber nicht
aus Zorn gereizet, unhöflich behandeln, und derselben mehr seine Stärke als Geschicklichkeit empfin-
den lassen. So lang als man mit den Händen allein die Entbindung bewerkstelligen kann: so soll
man sich keiner Instrumente bedienen: weil selbe
für das Kind und die Geburtstheile der Frau doch
öfters gefährlich und denen Frauen schrecklich sind.
Man muß niemahls ohne Noth, oder auf eine un-
geschickte Art ein Instrument anlegen, das nur dazumahl nützlich ist, wenn es zur rechten Zeit gebrauchet wird. Viele Mütter und Kinder sind durch
den unzeitigen öfters gar nicht angezeigten Gebrauch
der Instrumente hingerichtet worden, welche noch
heut zu Tage lebeten, wenn sie unter wehrlose Hände erfahrner Geburtshelfer gerathen wären.

Die stumpfen Werkzeuge, als die Zange zum
Beyspiel, solle man allezeit denen scharfen vorziehen.

Wie

Wie viele Köpfe sind hirnlos und zertrümmert herausgezogen worden, welche man gar leicht und viel
sicherer mit der Zange hätte herausschaffen können!
Ich selbst zog zwey Köpfe mit der levretischen krummen Zange heraus, welche der erstgerufene Geburtshelfer schon enthirnen wollte. Der natürliche Instinct und das Gefühl der Menschheit erwecket in jedermanns Herzen ein Mitleiden, wenn
man das todte Kind betrachtet: was für Abscheu
und Entsetzen werden nicht alle Umstehende blicken
lassen, wenn sie den zerrißnen und von dem Blut
und annoch anklebenden Gehirne verunstalteten Kopf
des Kindes sehen! Deshalben bin ich der Meinung niemahls den Kopf eines Kindes, obwohlen
es todt ist, auszuhirnen, wenn man ihn mit der
Zange herauszziehen zu können noch keine Unmöglichkeit verspüret; theils wird die Einbringung
der Zange viel leichter und ihre Wirkung viel thätiger seyn, weil der Kopf durch die anfangende
oder schon gegenwärtige Fäulniß viel weicher ist,
und folglich viel weniger Widerstand machet: theils
auch vermeidet man alle Gefahr die Geburtstheile
zu verletzen, welche durch die viel stärkere Zusammendrückung des weichen Kopfes mit der Zange
eben nicht so gewaltig ausgedehnet und gequetschet
werden können, wie einige dafür halten, die, um

bald

bald fertig zu werden, des Anbohrens schon gewohnt, keine neue und bessere Methode mehr ler-
nen wollen. Man wird der Kunst mehr Ehre ver-
schaffen, und viel ehender das Zutrauen der Gebährenden sich erwerben, wenn man auch den Schein
einer Grausamkeit, die doch in dergleichen Fällen
erlaubet ist, vermeidet.

Sollte man aber wegen der Unmöglichkeit
gelinderer Methoden die scharfen Instrumente zu
gebrauchen sich entschliessen müssen: so ist hauptsächlich und vor allen zu wissen nothwendig, ob das
Kind schon wirklich todt sey. Die Betrachtung
der langen Dauer der Geburt, der widernatürlichen Lage des Kindes, oder festen Einkeilung des
Kopfs: die Abwesenheit des Pulsschlages der Nabelschnur oder anderer pulsirenden Theile des Kindes, die Erschlappung der Geschwulst des eingetret-
nen Theils, das Rauschen der Beine der Hirnschale, sind die wahrscheinlichen Zeichen, aus welchen man den Tod des Kindes nur vermuthen kann.
Die Fäulung allein soll uns überzeugen. Die Zeichen derselben sind, der leichenhafte Geruch, die
aus den Geburtstheilen der Frau ausfliessende stinkende braune Jauche, die Absonderung des Oberhäutels, wie auch wenn der Bauch etwas anschwillt,
aber hart wird, und eine krachende faule Luft nach

und

und nach aus der Scham herausbringet. Aber auch
diese können, obwohlen selten, betrügen: ich habe
einmahl bemerket, daß das Oberhäutel von dem
Kopf unter der Geburt abgegangen war, und das
Kind ist doch lebendig gebohren worden! es hatte
aber die deutlichsten Zeichen der Lustseuche an seinem ganzen Körper. Albinus hatte bemerket, daß
ein Kind lebendig gebohren worden, dessen Oberhäutel über seinen ganzen Leib abgegangen, unter
welchem aber ein neues gewachsen sey. Vide Störck
Differtat. de Concept. part. nat. diffic. & præter.
pag. 55. Ein andersmahl hatte ich ein Kind mit
der Zange herausgezogen, das ich kaum todt, vielweniger schon faulend zu seyn geglaubt habe; weil
weder jener faule und fast unerträgliche Gestank,
weder die Absonderung des Oberhäutels an seinem
Kopf bemerket wurde: und es war doch von dem
Grund der Hirnschale bis auf die Zehen der Füße
von der Fäulniß angegriffen; nur den obern gewölbten Theil des Kopfs, der doch der Verwesung
wirkenden Luft ausgesetzet war, fand ich unverletzet.

Ich wurde zu einer Gebährenden gerufen, aus
derer Scham eine dergleichen braungelbe gewaltig
stinkende Feuchtigkeit ausfloß: ich glaubte ebenfalls,
das Kind, dessen schiefstehender Kopf die Geburt
hart gemacht hatte, wäre todt; nachdem ich aber
das

das Kind mit der Zange herausgezogen hatte, ver-
wunderte ich mich ſehr, da ich ſelbes lebendig ſahe:
ich konnte nicht begreifen, woher dieſer faule und
ſehr widerwärtige Geſtank kommen ſollte; bis ich
endlich einen zähen Schleim, und einige Stücke
geſtockten Bluts, welche durch ihr Verweilen in
der Gebährmutter einen ſolchen Grad der Fäulniß
an ſich genommen hatten, aus der Scham hervorkommen ſahe: ſelbſt die Nachgeburt hatte ſchon da
und dort dergleichen Merkmale.

Derohalben rathe ich niemahlen, die wahr-
ſcheinlichen Zeichen als nichts bedeutend anzuſehen;
man ſolle ſie zu Hülfe nehmen. Wenn nicht nur
allein die Scheitelgeſchwulſt, ſondern der ganze Kopf
ſehr weich iſt, und ſich zuſammen drucken läßt: wenn
die Beine auf einen ſtärkeren Druck mit denen Fingern gleich einem rauſchenden Pergament nachge-
ben, der Kopf gleichſam leer und hirnlos gefühlet
wird, und die Suturen eine ungewöhnliche Abſon-
derung und Voneinanderweichung der Hirnſchalbeine bemerken laſſen: oder wenn ein anderer was
immer für ein eingetretener Theil des Kindes nach
und nach weich wird, Falten machet, und zuſammen fallet, und alle oben angeführte Zeichen der
Fäulniß erſcheinen: ſo darf man nicht mehr zwei-
feln, daß das Kind wirklich todt ſey. Man muß
alſo

also warten, bis man alle mögliche und erdenkliche Zeichen des todten Kindes beysammen bemerket: damit man hierinnfalls die Ehre und sein
Gewissen nicht beflecke. Wenn dann das todte Kind
weder mit der Zange noch mit der Hand, nachdem
die Lage desselben ist, herausgebracht werden kann:
so ist es erlaubt, sich der scharfen Instrumente zu
bedienen: ja man soll alsobald das todte Kind herauszuschaffen trachten, weil selbes sonst durch das
längere Verweilen die Gebährmutter anstecken, und
seine unglückselige Mutter zur tödtlichen Nachfolge
vorbereiten könnte.

Wenn sich der Fall äußert, daß der Kopf mit
der Zange unmöglich herausgezogen werden könnte,
sondern die Enthirnung gemacht werden müßte: die
untrüglichsten Zeichen des Todes als die Fäulniß
wären aber noch nicht gegenwärtig; und die Gebährende wäre äußerst entkräftet, ja beynahe sterbend: so müßte man ohne Verzug die Mutter zu
erhalten, die Enthirnung vornehmen, sonst stirbt
sie sammt dem Kind, welches mehr als wahrscheinlich schon todt ist, wenn man die lange Dauer der
Geburt, und die wiederholten Versuche mit der Zange in Betrachtung ziehet.

Die Lage der Gebährenden zur Instrumentoperation ist fast die nämliche, die man ihr bey der

Wen-

Wendung des Kindes giebt: man läßt sie auf den Rücken legen, so daß die Brust fast horizontal, der Kopf und der Hinterleib aber etwas höher liegen. Das Bett, besonders am Rande, muß fest und dauerhaft seyn; es soll die Höhe haben, daß es dem Geburtshelfer bis an den Leib gehet. Zwey Gehülfen hat er zur Seiten, welche der Gebährenden die Kniee halten: hinter ihnen soll eine andere stehen, die ihm alles reichet, was er verlanget, und eine Gehülfinn muß die Frau unter den Achseln fest halten, damit sie der Geburtshelfer, wenn er die Zange anziehet, nicht über das Geburtsbett herabziehe. Wenn man den Kopf aushirnet: so soll man ein grosses Gefäß voll mit Wasser vor seinen Füßen stehen haben, damit man das Gehirn und die ausgebrochenen Beine der Hirnschale dahinein werfen könne.

Alle Instrumente, welche man anzulegen gedenket, besonders die scharfen, muß man vermittelst einer Hand als dem Wegweiser in den Leib der Gebährenden hinein, und eben so wieder heraus bringen: man wird dadurch alle mögliche Verletzungen der Geburtstheile der Frau vermeiden, und auf diese Art die Instrumente an dem angezeigten Theil des Kindes viel sicherer und gehörig anbringen, oder einsetzen können.

II.

Zweytes Kapitel.

Wann und wie man die krumme Zange bey schwer
und widernatürlichen Kopfgeburten gebrauchen solle.

Die schweren und langwierigen Geburten rühren
meistens daher, wenn der Kopf des Kindes fest in
dem Becken stecken bleibet. Ehe und bevor man
von der Zange was wußte, war insgemein das
Kind verlohren, wo es nicht gewendet, und bey
den Füssen herausgezogen werden konnte: oder wenn
es auch mit dem Kopf voran lebendig gebohren wurde, so starb es entweder bald nach der Entbindung,
oder es erholte sich doch wegen der langen und harten Zusammenpressung, die der Kopf gelitten hat,
sehr schwer wieder. Beynebst war auch das Leben
der Mutter wegen der nämlichen Ursache in Gefahr, weil wegen der erfolgenden Gegenpressung
die weichen Geburtstheile von dem Kopf des Kin-

des

31

des gequetschet und die Säfte in ihrem Umlauf ge-
hemmet wurden, wodurch eine heftige Entzündung und einigemahlen gählings der heiße und kalte
Brand erfolget ist. Man wußte in diesem Falle kein
anderes Mittel als den Kopf zu öffnen und das
Kind mit Haken herauszuziehen. Diese schreckbare
Entbindungsart verursachte ein allgemeines Klagen
unter denen Frauen, welche allzeit glaubten, daß
entweder die Gebährende, oder das Kind, oder beyde zugleich verlohren wären, wenn man einen Geburtshelfer um Hülfe rufen mußte. Dieser so irri-
ge und dem Geburtshelfer so nachtheilige Wahn
reizte einige Kunstverständige auf Mittel zu denken,
wie man auf eine weit gelindere und der Mutter
und dem Kinde gar nicht schädliche Methode den
Kopf herausziehen, und beyde hiemit retten könnte.

Ihre Bemühungen waren nicht umsonst: man
erfand verschiedene Zangen, unter welchen jene des
Herrn Smellie die beste war, die aber von dem
Herrn Levret noch um vieles verbessert, und nach
der Gestalt des Beckens gekrümmet worden; man
nennet sie daher die Levretische krumme Zange.
Der Werth dieser Zange ist um so viel schätzbarer,
weil die glückliche Erfahrung dieselbe nicht nur allein als brauchbar beweiset, sondern uns als das
einzige sicherste und entscheidenste Mittel, eine schwe-
er

re und widernatürliche Kopfgeburt zu vollenden, anbietet. Alle Gegner sind zu ohnmächtig, dem Verbesserer der Zange den unsterblichen Ruhm zu benehmen: sie wird wegen ihrer guten Wirkung nicht nur allein von erfahrnen Geburtshelfern, die selbe anzulegen wissen, sondern auch von den Frauen, die damit ohne sonderlichen Schmerzen entbunden worden, so werth gehalten, (daß sie sogar die noch ungesäuberte Zange ergriffen, küßten, und zu sich in das Bett steckten: v. Nouvelle Methode d'operer les Hernies par M. Leblanc pag. 301.) Man bedienet sich dieser Zange, die aus zweyen Blättern bestehet, gleich zweyer eisernen Händen; um den Kopf herauszuziehen. Die Wirkung der Zange ist zweyfach; Erstens, man drücket den Kopf, besonders wenn er grösser oder das Becken enger ist, zusammen, und bringet ihn folglich in eine länglichte Gestalt, wodurch er keilförmig und zum Durchgang geschickt gemacht wird. Zweytens, man ziehet ihn sodann aus der Scham heraus. So nützlich auch die Zange ist, wenn man sie zu gebrauchen weiß: so unglücklich kann der Gebrauch derselben seyn, wenn man sie zu frühe oder zu spät, und nicht nach den Regeln der Kunst anleget. Je weiter der Kopf in die Beckenhöhle herabgerucket ist, desto leichter wird die Anlegung derselben seyn.

Der

Der Muttermund muß völlig verschwunden seyn: die Geburtscheise, wenn selbe trocken und heiß wären, müssen vorhero gebähet, durch Einspritzung eines warmen Schleims schlüpfrig gemacht, und alle Gefahr der Entzündung weggeschaffet werden. Die Blätter der Zange müssen, wo es möglich ist, allzeit an die Ohren angebracht werden. Die Fälle, in welchen der Gebrauch der Zange statt findet, sind zahlreich, doch keine andere, als wo der Kopf in der Beckenhöhle oder noch im Eingang stecket: denn jede andere widernatürliche Geburt, wo ein anderer Theil eintritt, muß durch die Wendung des Kindes vollendet werden. Ich habe also alle und jede Fälle, die den Gebrauch der Zange unumgänglich erfordern, in folgende drey Abschnitte abgetheilet, und die Anlegung der Zange nach jedem Falle einzeln gelehret.

J.

I. Abschnitt.

Wenn der natürlich stehende Kopf wegen dem übeln
Verhältniß mit dem Becken eingekeilet ist.

Die schwerste und verdrüßlichste Geburt ist sowohl für die Gebährende als auch für den Geburtshelfer, unstreitig jene, wenn der natürlich stehende Kopf zum Theil, oder schon mit seiner Hälfte
in dem Becken eingezwänget ist, die Wehen nachlassen und folglich der Fortgang der Geburt unterbrochen wird. Entweder der zu grosse Kopf oder die
Enge des Beckens sind daran schuld: oder was noch
viel übler ist; wenn beyde Ursachen zugleich diese
der Natur unüberwindliche Hinderniß machen, und
vielleicht noch mit anderen bösen Umständen ver-
wickelt sind. Wenn dieser Fall vorkommet, so pfleget man diese Geburt eine eingekeilte Kopfgeburt zu nennen. Der Kopf, der entweder grösser
und in seinem Umfang dicker, oder das Becken viel

en-

enger ist, als es jenen durchzulassen seyn sollte, wird
nach und nach dergestalten durch die Gewalt der Wehen in den engen Paß hineingetrieben, daß er ganz
lang und platt nach der Form des Durchgangs gedrucket wird, und die haarichte Haut so anschwil-
let, daß es scheinet, als wenn noch ein anderer,
oder doppelter Kopf vorhanden wäre: je mehr er
hervorrücket, desto fester wird er sich noch einklemmen; er wird immer breiter, und der Durchgang
enger; dahero muß es nothwendigerweise geschehen,
daß der Kopf sich endlich einkeilet, und gleich einem Nagel in der Wand stecken bleibet.

Der Kopf kann mit seiner Grundfläche (Basis
Cranii) in dem Eingang, oder in dem Ausgang
stecken bleiben, nachdem dieser oder jener enger oder
der Kopf größer ist. Man erkennet, daß der Kopf
mit seinem dicksten Theile im Eingang stecket, wenn
die sehr gespannte Scheitelgeschwulst nahe bey dem
Ausgang ist, und die Höhle des Beckens fast gänzlich angefüllet befunden wird: wenn aber die Grundfläche in dem engen Ausgang stecket, so wird die
erstbemeldte Scheitelgeschwulst schon gänzlich vor
der Scham heraußen zu sehen seyn. Viele glauben,
wenn sie den Scheitel des Kopfs mit der Spitze des
Fingers schon so nahe bey dem Ausgang und die
ganze Beckenhöhle von dem oberen und gewölbten

haa-

haarichten Theil des Kopfes ausgefüllet fühlen,
daß die Beckenhöhle denselben aufhalte; aber sie
betrügen sich: denn der Kopf wird durch die von
obenher angebrachte Gewalt der heftig und immerwährend ausgearbeiteten Wehen dergestalten länglicht gedrucket, daß mehr denn die Hälfte des
Kopfs in die Beckenhöhle herabdrücket, und dieselbe
ausfüllet; da doch immer die Grundfläche desselben fest im Eingang eingeklemmet ist.

Wenn man also eine dergleichen schwere Kopf-
Geburt zu behandeln gerufen würde, so soll der
Geburtshelfer vorher genau erforschen, ob auch der
Kopf natürlich stehet, weil man gar leicht von der
starken Kopfgeschwulst, welche die Näthe und Fon-
tanellen gleichsam verlarvet, irre geführt wird. Im
gegenwärtigen Falle wird sich das Ende der Pfeilnath, sammt der Hinterhauptsnath in der Gestalt
eines rechtgestellten lateinischen Y nahe unter der
Vereinigung der Schamknochen finden; hingegen
stehet die vordere Fontanelle sehr hoch am heiligen
Bein, und wird öfters sehr beschwerlich, oder wohl
gar nicht erreicht. Nachhero muß er sich nicht lange säumen, die Frau mit Hülfe der Zange zu entbinden, besonders wenn der Kopf, ungerechnet der
bishero verflossenen Geburtszeit, bereits schon 10
oder mehrere Stunden im Eingang unbeweglich ste-

Steidele Geburtsh. IV. Th.   B   cket,

cket, die Wehen nachlassen, und die Kräfte sinken; weil sonst das Kind durch die gewaltige Zusammendrückung sterben, und die Mutter selbst
Gefahr laufen kann. Es ist wahr: öfters wird
das Kind doch noch natürlich gebohren, aber todt,
welches man durch den frühzeitigern Gebrauch der
Zange ohne Zweifel gerettet hätte.

Durch den Druck der Zange an die Seitentheile des Kopfs und den Widerstand der Schambeine und des heiligen Beins, die ebenfalls die
Stelle zweyer Blätter vertreten, und fast eine gleich-
förmige Wirkung machen, wird der Kopf, der nicht
verbeinert ist, in eine länglichte aber in seinem
Umfang schmälere Gestalt gebracht, und dergestalten zum Durchgang geschickt gemacht, daß man ihn
öfters ganz leicht und geschwind herausbringet; besonders wenn man ihn nach der Are des Beckens
an- und durchziehet.

Derohalben so lle man alles Nöthige, ja die
erschrockene Gebährende selbsten mit den besten
Worten zu dieser Operation vorbereiten. Man
bereitet das Querbett, und bringet die Gebährende darauf. Ich halte dafür, es werde besser seyn,
wenn man das Querbett etwas niedriger richtet,
als man es bey der Wendung zu machen pfleget;
weil man sowohl die Zange leichter anlegen, als

auch

auch den Kopf, um das Mittelfleisch zu schonen,
viel bequemer nach aufwärts aus der Scham her-
auszieh en kann. Eine starke Person stehet bey dem
Kopf der Frau, welche mit ihrem Leib fast horizontal liegen muß, und hält sie unter ihren Achseln fest, damit sie der Geburtshelfer nicht über
das Bett herabziehe: zwey andere Personen sollen
demselben zur Seite stehen, und ihre Kniee fest entgegen, und auseinander halten. Der Geburtshelfer muß nicht nur allein die Blätter der Zange,
sondern auch die Scham vorhero mit Butter oder
Fett nach inwendig einschmieren. Nunmehro be-
mühet man sich in der Zwischenzeit zweyer Wehen
etliche Finger der rechten Hand gut beschmieret
(denn die ganze Hand wird man unmöglich hineinbringen können) zwischen den Kopf und dem linken
Seitentheile der Mutterscheide, doch mehr rückwärts, so weit man kann, hinein zu schieben: mit
der linken Hand ergreifet man das Blatt der Zange, an welchem die Axe sitzet und das männliche
genennet wird, hält dessen Griff fast perpendikular
in die Höhe, und stecket anfänglich ganz sachte das
Blatt zwischen der Hand und dem Kopf in die
Scham hinein, alsdann schiebet man das Blatt
auf der in die Scham gebrachten Hand, welche
während diesen zwischen den Falten der Mutterschei-

B *   de

be und des Kindskopfs mit den Fingern den Weg
bahnet und das Instrument leitet, immer weiter
hinein und endlich bis zu der Vereinigung des
Darmbeins mit dem Heiligenbein hinauf, indem
man den Griff desselben allmählig nach abwärts
sinken läßt, und zu gleicher Zeit bey Bemerkung
eines Widerstandes das Blatt wechselweis bald aufwärts bald abwärts beweget, und, um den Muttermund nicht zu verletzen, mehr an den Kopf des
Kindes andrücket. Schreyet die Frau, so ist es
gewiß, daß man den Muttermund dehnet oder knei-
pet. Man muß das Blatt der Zange alsogleich
etwas zurückziehen, und durch Seitwärtsdrückung
des Griffs das Blatt der Zange näher an den Kopf
andrücken, und hiemit zwischen dem Kopf und Muttermund schleichend über den Eingang des Beckens
hinauf bringen. Wenn das Blatt der Zange gählings und mit einer unvermutheten Leichtigkeit hinein rücket, und die Are desselben schon nahe bey
der Scham sich befindet: so drehet man den Griff
dieses Blatts in einem Viertelkreis nach dem rechten Sitzbein der Frau, und läßt selben von einem
Gehülfen nach abwärts und seitwärts halten; die
Are dieses Blatts muß gerad nach aufwärts gegen
die Schambeine gerichtet seyn. Alsdann ziehet
man die rechte Hand heraus, und bringet die linke
auf

auf der rechten Seite der Frau zwischen dem Kopf und der Mutterscheide hinein, um das andere Blatt, welches man das weibliche heißet, auf erstbemeldte Art und mit der nämlichen Behutsamkeit mit der rechten Hand an den Kopf des Kindes anzulegen.

Sobald beyde Blätter der Zange gehörig und weit genug hinein gebracht worden: so muß man beyde kreuzweis über einander legen, die Are des einen in die Oeffnung des anderen Blatts bringen, und sodann beyde Blätter vermittelst des dazu eigentlich gemachten Stiftes zu befestigen trachten. Während daß man die Zange schließet, ist Obacht zu haben, daß man keine Falten der Mutterscheide, oder eine Lefze der Scham mit einklemme, wovon die Frau grosse Schmerzen leiden, und eine Entzündung befürchten müßte. Die Vereinigung der Blätter der Zange auf erst bemeldte Art ist öfters sehr schwer, besonders wenn man die Obertheile der Zange nicht recht in die Ausschnitte der Darmbeine gebracht hat, oder der Kopf eine üble Lage hat: in diesen Fällen ist man einigemahlen gezwungen, die Griffe der Zange mit einem Servlet oder Handtuch zu befestigen.

Die Anlegung der Zange auf erstbemeldte Art machet öfters viele Schwierigkeiten, besonders wenn man eines oder beyde Blätter derselben nicht weit

genug

genug hineingebracht hat. Denn weil die Ober=
theile der Zange, die breiter als der mondförmige
Ausschnitt der Darmbeine sind, nicht Platz ge=
nug haben, und übrigens dieser Ausschnitt mehr
nach hintenzu als seitwärts ist: so können die bey=
den Blätter nicht recht gerade einander gegenüber
kommen, sondern liegen fast in einer platten Flä=
che an den Seiten des heiligen Beins. Diesen Wi=
derstand kann man alsobald heben, wenn man die
Blätter tiefer hinein schiebet, weil sie gegen den
Ort ihrer Vereinigung immer schmäler zulaufen,
und sich hiemit viel leichter an die Darmbeine
anlegen lassen; und es ist auch überhaupt viel siche=
rer und besser, daß die Zange gleich anfangs ehen=
der mehr als weniger tief hineingeschoben werde;
denn die allenfalls überflüssig beygebrachte Länge
derselben verlieret sich alsdann ohnehin allemahl
beym ersten Anzug derselben. Wenn der Kopf im
Eingang stecket, so kann man die Dauer der Her=
ausziehung desselben in drey Zeitpuncten abthei=
len, welche aber durch viele Zwischenzeiten mitein=
ander verbunden sind. Im Ersten muß man nach
abwärts ziehen, damit man den Kopf vollkommen
in die Beckenhöhle herab und zu dem Ausgang brin=
ge (doch muß man auch nicht gar zu stark die Grif=
fe der Zange nach abwärts halten, und eben also

zie=

ziehen, sonst wird man das Mittelfleisch verletzen)
im Zweyten, wenn denn der Kopf schon so tief
herabgekommen ist: so ziehet man nunmehro horizontal: und im Dritten hebet man die Griffe langsam und immer mehr in die Höhe und ziehet
den Kopf nach aufwärts heraus, besonders wenn
das Gesicht nach rückwärts zu dem Steiß- und heiligen Bein, das Hinterhaupt aber gegen die Schambeine gekehret ist, wie es in diesem Fall seyn muß,
von welchem ich in diesem Abschnitte rede. Der
ganze Weg, durch welchen man den Kopf ziehen
muß, stellet eine krumme Linie vor, welcher man
ebenfalls mit der An- und Durchziehung des Kopfs
gleich einer Richtschnur folgen, und hiemit der
Natur nachahmen muß, welche den Kopf auf eben
diese Art, wie man es bey jeder natürlichen leich-
ten Geburt beobachtet, herauszutreiben pfleget.
Man muß, um den Durchgang des eingeklemmten
Kopfs etwas zu erleichtern, während An- und
Herausziehung desselben mit der Zange öfters kleine Bewegungen nach allen Gegenden machen, und
wie einige rathen, gleich einem Rad in die Runde
drehen. Ich meiner Seits bewege die Zange bloß
von vorn nach rückwärts, oder von einer nach der
andern Seite: und unterlasse die Drehung ganz,

weil

weil sie nicht nur allein der Frau empfindlich,
sondern auch dem Kinde schädlich seyn kann.

Wenn also der Geburtshelfer den Kopf durch
den Eingang herabziehen will: so muß er sich durch
Voraussetzung seines linken Fußes erst eine feste
Stellung geben, um die zur Durchziehung des Kopfes erforderliche Gewalt ausüben zu können. Mit
den Fingern der rechten Hand soll man die Griffe
und mit der linken Hand die Zange bey ihrer Vereinigung ergreifen, und mit langsamen Bewegungen nach abwärts anziehen; die Frau läßt man, so
viel sie kann, besonders unter einem Wehe, nachdrucken. Man muß von Zeit zu Zeit rasten, und
der Gebährenden zu ihrer Erholung einige Minuten
Zeit vergönnen. Diese Vorsicht ist um so vielmehr
nöthig, weil der Geburtshelfer durch das längere
und unaussetzlich daurende Ziehen dergestalten matt
und entkräftet wird, daß sowohl er nicht mehr arbeiten, als auch die Gebährende diese ihr so schmerz-
liche Operation nicht länger aushalten kann.

Den Kopf aus seiner Klemme zurückzuschieben und nachhero das Gesicht näher dem Darmbein
zuzuwenden, wäre wohl vortheilhaft; aber es ist
nicht möglich und nicht gefahrlos; nicht möglich,
weil die Gebährmutter stark zusammengezogen, und

der

der Kopf fest eingeklemmet ist, und nicht gefahrlos, weil man durch das Zurückschieben des Kopfs den Mutterhals zerreissen, und auch dem Genick des Kindes Schaden zufügen kann.

Man muß überhaupt während dieser ganzen Operation langsam und vorsichtig zu Werke gehen, und sich nicht übereilen, weder der Nothleidenden mehr seine Stärke als Geschicklichkeit fühlen lassen: man würde nur starke Quetschungen, Zerreissung der Geburtstheile, Verletzungen des Mastdarms und der Urinblase zuwege bringen, oder andere gefährliche ja wohl gar tödtliche Zufälle verursachen.

Wenn der Kopf schon so weit zu der äußern Scham hervor gekommen ist, daß er den untern Theil derselben, besonders das Mittelfleisch vorwärts zu drücken und auszudehnen anfängt: so muß man die Griffe der Zange allmählich erheben, und den Kopf hiemit dergestalten von unten aufwärts durch die Scham herausziehen, daß das Hinterhaupt unter der Vereinigung der Schambeine wie um seine Axe sich drehe, und das Gesicht ganz leicht über das gespannte Mittelfleisch wegglitsche, welches aber die Hebamme dem durchbrechenden Kopf mit einem beschmierten Leinwandbauschen entgegen halten und etwas zurück schieben

muß:

muß: oder wenn der Geburtshelfer bemerket, daß
die Frau merklich nachdrucket, und der Kopf keinen so starken Widerstand mehr machet: so kann
der Geburtshelfer mit der linken Hand selbst das
Mittelfleisch zurückhalten, indem er zu gleicher Zeit
mit der rechten den Kopf herauszïehet. Durch
diese Methode aufwärts zu ziehen, kommt der Kopf
des Kindes von dem After und dem Mittelfleisch
weg, und mehr in die Höhe, und durch die Halb-
runde Aufwärtshebung der Griffe der Zange nach
dem Bauch der Frau wird das Gesicht von unten
herauf und aus der Scham herausgehoben, wodurch man alle Gefahr die Mutterscheide und den
After, besonders aber das Mittelfleisch zu zerreissen vermeidet.

Noch muß ich erinnern, daß man in der
Zwischenzeit nicht nur allein das Mittelfleisch,
sondern die ganze Scham mit Butter oder Fett einigemahl beschmiere, und daß man desto weniger
Gewalt im Durchziehen anwende, je weiter der
Kopf schon im Ausgang herab und vor die Scham
hervor gekommen ist; denn es könnte geschehen,
daß die Frau wider Vermuthen auf einen starken
Wehe den Kopf, der schon zugerichtet ohnedem viel
leichter durch den Ausgang gehet, sammt der Zange gählings durchdrucket, bevor man die Aufhebung

bung der Zange hat machen können: mithin wird
das Mittelfleisch durch das starke und übereilte
An- und Vorwärtsziehen öfters bis auf den Mastdarm zerrissen.

Wenn der Kopf die Scham und das Mittelfleisch auszudehnen anfängt, und der Scheitel des
Kopfs schon zwischen den Lefzen hervordringet:
so pflege ich alsogleich die Zange aufzuheben und
sehr mäßig zu ziehen. Hat die Frau gute Wehen,
und drücket nach: so trachte ich nur durch die Auf-
wärtsziehung das Hinterhaupt an die Ränder der
Schambeine anzuhalten, und ziehe gar nicht mehr
oder nur sehr wenig; die Frau drücket den Kopf
schon heraus.

Sollte der Kopf im Ausgang stecken bleiben,
so wird die Anlegung der Zange etwas leichter
seyn: nur daß man etwas stärker an und aufwärts
ziehe, bis die Grundfläche der Hirnschale den engen Ausgang überwunden hat. Wenn denn der
Kopf gebohren ist, so öffnet man den Schluß der
Zange, nimmt ein Blatt um das andere weg, und
ziehet den Leib heraus.

Wenn man bey der Anlegung der Zange diesen vorgeschriebenen Regeln folget, und sich nur
nicht übereilet: so hat man allezeit das Vergnügen
das Kind lebendig zu sehen, wenn es nicht vorhe-

re

ro gestorben ist. Denn es ist schon von den besten
Schriftstellern und durch die Erfahrung selbst bewiesen worden, daß die Zange dem Kinde das Leben nicht nehmen könne, wenn man sie gehörig
und in der Zeit gebrauchet. Es leben hier noch
viele Kinder, die ich mit der Zange auf die Welt
gebracht habe. Oefters wird man auf den ersten
Versuch nichts ausrichten, ungeachtet daß man eine
halbe Stunde, ja einigemahl länger und aus allen Kräften ziehet; man wird darüber so müde und
entkräftet, daß man die Zange herausnehmen,
und nach acht oder zehen Stunden wieder anlegen,
und mit noch einem Gehülfen wechselweise ziehen,
und erst auf den zweyten Versuch die Frau entbinden muß. Könnte man wegen der allzustarken Geschwulst des Kopfs oder andern Hindernissen die
Zange gar nicht hineinbringen, oder wenn man
sie auch mit der beschwerlichsten Mühe angeleget
hätte, den Kopf unmöglich aus seiner Klemme
losmachen: so muß man warten, bis das Kind
todt ist, und der Kopf durch die Fäulniß weicher
wird, und zusammen fallet. Man wird alsdann
die Zange viel leichter anlegen, und meistens die
Köpfe unausgehirnet herausziehen können; es müßte nur die Grundfläche der Hirnschale wie ein Nagel in der Wand in dem engen Eingang stecken,

und

und einen unüberwindlichen Widerstand merken lassen.

Die geringen Eindrückungen und kleinen Einschnitte, welche die Zange einigemahl auf den Kopf des Kindes macht, schaden selbem doch einigermaffen: dieser Ursachen wegen habe ich meine Zange ganz glatt, ohne Ränfte und Furchen in ihrer inneren Fläche machen lassen; und ich arbeite eben so glücklich damit.

Sollte das neugebohrne Kind äußerst schwach, ja todt scheinend auf die Welt kommen, so muß man alsogleich dasselbe aufleben zu machen trachten. Viele wollen die Nabelschnur ununterbunden, und unabgeschnitten lassen, bis das Kind sich vollkommen erholet hat; weil sie glauben, daß der wechselseitige Kreislauf des Bluts zwischen der Mutter und dem Kind vermittelst der Nachgeburt und Nabelschnur ununterbrochen fortgehet, und in so lange selbes erhaltet, bis es durch andere wirksame Mittel vollkommen zum wiederaufleben gebracht worden ist. Ich bin aber keineswegs ihrer Meinung. Denn, so lange das Kind noch im Mutterleibe ist, so lebet selbes nur pflanzenmäßig; der Umlauf des Bluts ist nicht so vollkommen, es beweget seine Glieder ohne zu athmen. Das thierische Leben aber bestehet in dem vollkommenern und freyen Umlauf,

lauf und in der dazu kommenden Athemholung, und
das augenblicklich, so bald das Kind gebohren worden: es gehet hiemit von jenem in dieses über. Da
nun ein Kind schwach, oder gar todt scheinend auf
die Welt kömmt, und ihm der Uebergang in das
thierische Leben so schwer fällt, so rathe ich vielmehr
jene Hülfe zu leisten, welche man in Absicht auf
die Beförderung der Athemholung, und freyen,
gleichförmigen Blutsumlaufs in allen Eingeweiden,
den Erstickten und Ertrunkenen zu leisten pflegt.
Meiner Meinung nach wird es hiemit selten ja niemahls rathsam seyn, die Nabelschnur ununterbunden und unabgeschnitten zu lassen: weil 1) durch
die Nabelblutader weniger Blut mehr zufliesset, indem die Nachgeburt sammt ihren Gefäßen von der
sich zusammenziehenden Gebährmutter gedrücket,
und oft schon frühe abgelöset wird, 2) hingegen
das Kind durch die zwey zurückführenden Schlag-
adern, besonders wenn sie von der großen Schlag-
ader selbst abstammen, mehr oder weniger Blut
verlieret: welches dann um so nachtheiliger ist, je
schwächer und blasser dasselbe ist; und 3) gesezt
auch, es wäre dieser wechselseitige Blutumlauf zur
Erhaltung dieses schwachen Lebens noch einigermaßen nützlich, so gehet es lang her, bis es sich erholet, wohingegen das Kind viel geschwinder wieder

der auflebet, wenn die Kunst thätig und ungehindert zu Werke gehen kann. In dieser so gefährlichen Epoche, wenn ein schwaches ja äusserst entkräftetes natürlich oder durch die Kunst auf die Welt gebrachtes Kind aus dem pflanzenmäßigen in das thierische Leben übergehen soll, traue ich mehr den kräftigen Bemühungen der Kunst, als der sinkenden Kraft der Natur zu. Und dann giebt es auch noch andere Fälle, wo man ohne weiteres Bedenken alsogleich das Kind von der Mutter lösen muß. Das Reiben im warmen Bad aus Wein und Wasser, das Einblasen in den Mund — und einen Umschlag von warmen Wein über den Kopf habe ich als die wirksamsten Mittel gefunden.

II.

II. Abschnitt.

Wenn der widernatürlich eingetretene Kopf in der Beckenhöhle stecken bleibet.

Die gemeinste und beste unter allen Lagen des Kinds ist unstreitig jene, wenn der Scheitel des Kopfs also in den Muttermund eintritt, daß das Gesicht desselben nach einem Winkel neben dem Vorberg gekehret, folglich der dickere Theil des gerade eingetretenen Kopfs im schiefen Durchmesser sich befindet: die Geburt wird glücklich erfolgen, wenn sonst keine Hindernisse denselben in seinem Durchgang aufhalten, die Wehen kräftig sind, und die Gebährende gehörig mitarbeitet. Es geschiehet aber doch, daß die Geburt sehr hart wird, und viel länger dauert, wenn der Kopf größer oder das Becken enger ist: einigemahl wird er bis auf seine Hälfte dergestalten in dem Becken eingeklemmet, daß er nicht mehr weiter vorrücken, noch viel weniger wieder zurück gebracht werden kann. Die

Art

Art und Weise, diese Geburt zu vollenden, habe ich eben jetzo angegeben.

Diese harten und widernatürlichen Kopfgeburten sind nicht so zahlreich, als man glaubet. Man wird gar oft gerufen, eine dergleichen vernachläsigte Geburt durch die Kunst zu vollenden, dessen nächste Ursache ein großer Kopf, oder das enge Becken seyn muß: und wenn man die Lage desselben genau untersuchet, so findet man den Kopf entweder schief, oder wohl gar widernatürlich eingetreten. Diese schwere Geburten sind viel zahlreicher als jene: sie entstehen aus einer sträflichen Nachläßigkeit, wenn man sich alsogleich begnüget mit dem forschenden Finger den Kopf gefühlet zu haben, ohne sich zu bekümmern, ob dessen Lage gut oder übel sey. Die Geburt muß nothwendiger Weise lange dauern, und immer schwerer werden. Die Wehen verschwinden, die Kräfte sinken, und die Gebährende wird sammt den Umstehenden über den schlechten Fortgang verzagt. Um sich bestens zu entschuldigen, giebt man dem großen Kopf die Schuld, der öfters nichts weniger als groß, weder das Becken eng ist; oder man beklaget sich über die Gebährende selbsten, die ihrem Vorgeben nach nicht stark genug ihre Wehen bearbeitet; man stren-

Staidele Geburtsh. IV.Th.   C   get

get sie zum Kreißen noch mehrers an, und machet das Uebel nur ärger.

Wenn denn ein Geburtshelfer, eine dergleit-
chen vernachläßigte schwere Kopfgeburt zu behandeln gerufen wird: so soll er hauptsächlich und vor
allen die Lage des Kopfs untersuchen; dieselbe
kann verschieden und also beschaffen seyn, daß man
nur mit einem, oder mit beyden Blättern der Zange den Kopf vorhero einrichten und dann erst herausziehen muß. Jede Lage erfordert besondere Vortheile und Handgriffe um die Zange anlegen zu können, ohne deren Bewußtseyn und Ausübung man
unmöglich zu recht kommen und die Geburt bewerkstelligen wird. Dahero ist es eben gekommen, daß
viele Geburtshelfer, wenn sie die Zange nicht sogleich, oder gar nicht, wie bey einem gerad und
natürlich stehenden Kopf haben hineinbringen können, den Kopf ausgehirnet, oder unausgehirnet
mit den Haken ergriffen, und öfters mit Schaden der Mutter herausgerissen haben. Ich will
also in diesem Abschnitt alle nur erdenkliche Lagen
des Kopfs vorstellen, und die erforderliche Vortheile und aus der Erfahrung erwiesene Handgriffe
lehren, welche nach der Verschiedenheit der Lagen
ebenfalls verschieden sind. Hier tritt nur der Nothfall ein die Zange anzulegen, weil die angezeigte

Weil-

Wendung, wenn einmahl der widernatürlich eingetretene Kopf tief in dem Eingang oder gar schon
in der Beckenhöhle stecket, nicht mehr gemacht werden kann.

1. Widernat. Kopflage. Wenn der Kopf mit
dem Scheitel gerad eingetreten ist.

Wenn das Gesicht nach vorwärts zu den
Schambeinen gekehret ist, und der Kopf, entweder weil er mit der Stirne auf den Ränften
der Schambeine aufstehet, oder etwas größer ist,
nicht durchgehet: so bedienet man sich der Zange,
welche in diesem Fall sehr leicht anzulegen seyn
wird, weil rückwärts zwischen dem heiligen Bein
und dem Hinterhaupt ein leerer Raum ist, der die
Einbringung der Blätter um vieles erleichtert.
Wenn man die Blätter der Zange auf die schon beschriebene Art gehörig hinein geschoben, und an
die Ohrengegenden angeleget hat, so muß man die
Griffe derselben nach abwärts halten, damit die
Obertheile den Kopf über die Schambeine gut fassen und einschließen können. Alsdann ziehet man,
so viel es sich thun läßt, ohne dem Mittelfleisch eine Gewalt zuzufügen, nach abwärts, wodurch die meistens mehr oder weniger aufstehende

L 2 Stir-

Stirne losgemacht, und das Gesicht nicht so gar
stark an die Schamknochen angedrückt wird. Hat
man den Kopf bis in die Höhle gebracht, so ziehet man ihn bis zu dem Ausgang hervor, indem
man die Griffe der Zange nach und nach erhebet;
alsdann ergreifet man mit der queren Hand die
Zange etwas über dem Ort ihrer Vereinigung,
drückt selbe nach abwärts, und ziehet zugleich mit
der rechten Hand die Griffe der Zange so lange an
und mehr und mehr aufwärts, bis endlich der Kopf
gebohren wird. Durch das Niederdrücken der Obertheile der Zange mit der linken Hand wird das
Hinterhaupt mehr in die Aushöhlung des heiligen Beins gebracht, und das Gesicht etwas leichter
unter den Schambeinen herausgezogen. Man sollte sich aber besonders in Obacht nehmen, daß man
den Kopf nicht so stark wie sonsten nach aufwärts
herausziehe, weil das untere Kinn sich an die
Brust anstemmen, und das Gesicht an den Schamknochen sehr übel zugerichtet würde: und daß man
sehr langsam den Kopf durch die Scham hervorzie-
he, wenn man die gänzliche Zerreißung des Mit-
telfleisches verhüten will. Ungeachtet dessen wird
das Mittelfleisch doch zum Theil zerrissen, und das
Gesicht des Kindes blau angelaufen und fast un-
kennbar hervorkommen. Wenn der Kopf merklich

lich auf den Schamknochen aufstehet, so geschieht
es ganz leicht, daß das Hinterhaupt durch den Gewalt der Wehen und Nachdrucken der Gebährenden in die Beckenhöhle eindringt, das Genicke sich
mehr dem Vorberg des heiligen Beins nähert,
und die Stirne auf diesem Ruhepunct sitzen bleibt.
In diesem Fall wäre es viel leichter und für das
Kind ersprießlicher die Wendung der Zange vorzuziehen: weil der Kopf für den Gebrauch der letzteren noch viel zu hoch stehet, und durch seinen
heftigen Druck, auf die Harnröhre widrige Zufälle veranlasset.

Wenn das Gesicht zu einem oder dem
anderen Darmbein zu stehet. Diese Scheitel-
geburten kommen sehr oft vor: meistens gehet der
Kopf noch durch; aber die Schultern, welche zwischen den Schambeinen und dem Vorberg des heiligen Beins stecken, halten den Leib zurück; man
trachte nur die Schultern seitwärts zu drücken,
und ziehe sodann den Leib heraus. Wenn
aber die Schultern über diese Beine des Eingangs
fest aufstehen und gar nicht nachrücken: so kann
und wird der Kopf, dessen Scheitel gerad vor dem
Ausgang gefühlet wird, unmöglich durchgehen.
Diese Geburt ist eine der mühsamsten und schwere-
sten, ja fast die einzige, wo man mit der Zange

den

den Kopf abzureissen Gefahr läuft; wenn man darauf bestehet ein Blatt an das Gesicht, das andere an das Hinterhaupt anzulegen, und dann mit Gewalt, ohne auf die Schultern Obacht zu haben, den Kopf herausziehen will.

Der Versuch ein Blatt zwischen die Schambeine und den Seitentheil des Kopfs, das andere rückwärts bey dem heiligen Bein hinein zu bringen, alsdann den Kopf mit der Zange zu fassen und also zu drehen, daß das Gesicht nach rückwärts in die Aushöhlung des heiligen Beins gebracht werde, ist kaum möglich, und für das Kind eben so gefährlich; weil man ihm ehender den Hals verdrehen, als das Gesicht nach rückwärts bringen, und die Schultern aus ihrer festen Lage losmachen und auf die Seiten rücken wird. Diese Behandlungsart ist folglich nicht rathsam.

Man muß in diesem Fall vor allen die Schultern, welche die einzige Hinderniß machen, von dem Scham- und heiligen Bein wegzurücken trachten; welches mit einem Blatt der Zange geschehen muß, wenn man mit den Fingern nichts ausrichten kann. Stehet das Gesicht gegen die rechte Seite der Mutter: so bringt man das Blatt mit der Are, so das männliche heißt, wie sonsten in die Mutterscheide hinein: man schiebet es sodann

bis

bis auf seine Are in den Leib der Frau hinauf,
und bringet es unter gelinden Bewegungen, als
wenn man sägen oder etwas spalten wollte, end=
lich zwischen den Kopf und dem linken Darmbein nahe
zu dem Schambein hervor. Nunmehro drücket man
die Schulter mit diesem Blatt, soviel es sich thun läßt,
von den Schambeinen weg und bis zu dem rechten
Darmbein hinüber: alsdann führet man dieß Blatt der
Zange so weit bis zu dem linken Darmbein, wo es
sich mit dem heiligen Bein vereiniget, wieder zu=
rück, und läßt dessen Griff von einem Gehülfen
abwärts und etwas seitwärts halten.

Auf diese Art werden nicht nur allein beyde
Schultern von den Schambeinen und dem heili=
gen Bein weg, sondern auch das Gesicht etwas nach
rückwärts gebracht. Alsdann schiebet man das an=
dere Blatt hinein, und bringet es neben dem Ge=
sichte vorbey bis fast zur vordern Gegend des rech=
ten Darmbeins, wo es sich mit dem Schambein
vereiniget. Man kann die Blätter der Zange
nicht vollkommen an die Ohrengegenden anbringen;
man wird mit einem Blatt einen Theil des Ge=
sichts, mit dem andern einen Theil des Hinter=
haupts ergreifen müssen. Anjetzo fasset man den
Kopf mit der geschlossenen Zange, drehet ihn vor=
hero von der rechten Seite der Mutter etwas nach

rück=

rückwärts gegen den Darmbeinausschnitt, damit
das Gesicht dem heiligen Bein näher komme, und
ziehet ihn wie gewöhnlich heraus.

Wenn der Kopf gebohren ist, und die Schultern, die man mit genauer Noth von dem Vorberg und den Schambeinen weg, aber nicht gänzlich hat seitwärts bringen können, sich nochmahls
widersetzen: so muß man jetzo die Schultern, welche nun in die Beckenhöhle herabgedrücket sind,
in den weitern Durchmesser in den geraden nehmlich des Ausgangs bringen, und dann mit den
Fingern unter den Achseln heraus ziehen. Sollte
das Gesicht zu dem linken Darmbein gekehret seyn:
so muß man, um die Schultern von den Schambeinen wegzurücken, das andere Blatt, so das
weibliche heißt, aber im gegenseitigen Verstand
betrachtet, hinein bringen, und auf die nämliche
Art die Geburt behandeln. Man wird allezeit seinen Zweck erreichen, wenn man auf diese Art die
Zange gebrauchet: es müßte nur der enge Ausgang des Beckens, oder die Unbeweglichkeit der
Schultern bey schon stark zusammengezogener Gebährmutter alle angewendete Bemühung vereiteln:
was aber außerordentlich selten geschiehet.

Herrn Professor Stein, praktische Anleitung zur Geburtshülfe, rathet folgende sehr
gute

gute Methode: Gesetzt, der Kopf läge quer, mit
dem Vorderhaupt nach der rechten, mit dem Hinterhaupt nach der linken Mutterseite; so nimmt
man den weiblichen Arm des Werkzeuges, und bringt
ihn nach umgekehrten Gesetzen schief von unten nach
oben in der linken Mutterseite an dem hintern Theil
des Halses herauf, bis zur linken Schulter des
Kindes, welche in diesem Fall fest auf dem Vorberge des heiligen Beins aufsitzt. Alsdann faßt
man den Stiel des Instruments in beyde Hände,
und giebt diesem Arm unterhalb dem heiligen Bein,
unter der Schulter weg, die Wendung aus der
linken in die rechte Mutterseite, indem man zugleich den Arm etwas hart an die Schulter andrücket, und das Blatt der Zange fast sägenmäßig bewegt, so drehet sich mit der Schulter der ganze
Körper des Kindes nach dem grossen Durchmesser
des Beckens, und der Kopf, den man jetzt nur anziehen darf, kömmt mit dem Gesichte nach den
Schambeinen gerichtet zu stehen. Sollte der erste
Versuch nicht allerdings nach Wunsch ausgefallen
seyn; so zieht man den Arm heraus, und wieder-
hohlt das nämliche Manuel noch einmahl. Aber
es darf die auf dem Vorberge des heiligen Beins
aufstehende Schulter nur ein wenig weggerücket,
und nach dem schiefen Durchmesser des Beckens
ver-

verleget worden seyn; so ist der Widerstand schon
gehoben, und der Körper folget nunmehro dem Zu-
ge am Kopf. Der gegenseitige Fall erfordert den
männlichen Arm des Werkzeuges, und das gegenseitige Manuel mit demselben.

2. Widernatürl. Kopflage. Wenn der Kopf
   wegen seiner schiefen Lage in der Beckenhöhle stecken bleibet.

Wenn der Scheitel nicht in gerader Richtung
mit dem Rückgrade des Kindes ist; so entstehet eine harte und öfters gar der Natur unmögliche
Geburt. Der Kopf kann also mit dem Gesicht nach
rückwärts zu dem heiligen Bein, vorwärts zu den
Schamknochen, oder seitwärts zu einem oder dem
andern Darmbein gekehret schief in der Beckenhöhle stecken. Wenn der Scheitel des Kopfs, dessen
Gesicht nach rückwärts stehet, auf ein oder dem
andern Darmbein fest aufgedrücket die Geburt aufhält: so bringe man bey dem rechten Darmbein das
weibliche, wenn aber der Kopf zu dem linken Darmbein schief stehet, das männliche Blatt der levretischen krummen Zange zwischen dem Kopf und dem
Darmbein, so weit man kann, hinauf; alsdann bemühe man sich mit dem Oberteil des Blatts den
Kopf

Kopf über das Seitenwandbein zu fassen, von dem Bein wegzurücken, und hiemit den Scheitel nach und nach herab und gerade zu dem Ausgang zu bringen. Hat die Frau noch Wehe und Kräften, so solle sie nachdrucken; indem man zu gleicher Zeit, um ihr das Nachdrucken des Kopfs zu erleichtern, das Blatt der Zange mäßig anziehet: auf diese Methode wird der Kopf sehr leicht und öfters sehr geschwind gebohren: es sey denn, daß sie ohne Wehe und kraftlos wäre: oder noch andere mit verbundene Hindernisse diese Entbindungsart fruchtlos machten; alsdann müßte man das andere Blatt ebenfalls hineinbringen, und den Kopf mit der ganzen Zange, wie gewöhnlich, herausziehen.

Stehet der Kopf nach rückwärts zu dem heiligen Bein, oder vorwärts zu den Schambeinen schief: so bringe man beyde Blätter der Zange bey den Darmbeinen an die Ohren des Kindes hinauf, und ziehe hiemit den Kopf heraus. Sobald man denselben zu ziehen anfängt, so wird der Scheitel alsogleich von dem Bein, an welches er angedrucket ist, sich entfernen, und der Kopf mit dem Scheitel voran nach seiner geraden Länge der Zange folgen.

Wenn der Kopf mit vorwärts zu den Schambeinen gekehrtem Gesichte nach einer dieser vier Hauptgegen-

gegenden schief stehend in der Beckenhöhle stecket:
so verfährt man eben also, wie ich erst gesagt habe:
der Unterschied bestehet nur in diesem, daß die
Durchziehung des Kopfs wegen dem zu den Schambeinen gekehrten Gesicht etwas schwerer sey, und
nach denen oben bey der Scheitelgeburt, wo das
Gesicht vorwärts ist, beschriebenen Regeln gemacht
werden müsse.

Sollte der Kopf mit seitwärts zu einem Darmbein gekehrten Gesicht schief stehend stecken bleiben:
so müßte man vorhero den Kopf entweder mit den
Fingern, oder mit einem Blatt in die gerade Lage
bringen, alsdann auf die nämliche Art, die ich bey
der Scheitelgeburt gelehret habe, die Schultern
seitwärts rücken, und den Kopf mit der Zange herausziehen. Diese letztern sind, wegen der gedoppel-
ten übeln Lage, auch schwerer zu behandeln, weil
sie die Ausübung verschiedener Handgriffe und Vortheile erfodern, welche wahrhaftig und besonders
bey einer Erstgebährenden nicht so leicht anzuwenden sind: die Wendung würde hier ungleich sicherer und leichter seyn.

Noch viel mühsamer für einen Geburtshelfer
ist jene Geburt, wo man den Kopf in einer schiefen Lage, und neben selbem einen Arm in der
Beckenhöhle findet. Wenn man den Arm nicht
mehr

mehr zurückbringen, weder denselben sammt dem
Kopf herauszuziehen, im Stande ist: so rathe ich an
den in der Mutterscheide befindlichen Arm eine
Schlinge anzulegen, auf der entgegengesetzten Seite aber dieses oder jenes Blatt der Zange, je nachdem der Kopf an das rechte- oder linke Darmbein
angedrücket ist, zwischen dem Kopf und dem Bein
hineinzuschieben, und alsdann mit einer Hand vermittelst der Schlinge den Arm des Kindes, mit
der andern aber den mit dem Blatt der Zange ge-
faßten Kopf unter starkem Nachdrucken der Gebährenden, mäßig an und endlich herauszuziehen.

Weil es aber einigemahl geschiehet, daß man
auf das gelinde Anziehen nichts ausrichtet, und auf
eine stärkere im Ziehen angebrachte Gewalt der Arm
an seinen Gelenken beschädiget, ja wohl gar ausge-
rissen werden kann: so ist es besser, wenn man nach
vorhero angeschlungener Hand des Kindes, beyde
Blätter wie gewöhnlich hineinschiebet, und hiemit
den Kopf ohne auf seine Lage viel Obacht zu haben,
mit der Zange fasset, und endlich herauszieher.
Wenn der Arm mehr vor- oder rückwärts bemerket wird, so wird man die Blätter viel leichter
hineinbringen: wenn man aber den Arm auf einer
Seite liegend fühlet: so soll man entweder denselben vorhero, so viel es sich thun läßt, nach rückwärts.

wärts schieben, oder wenn es nicht möglich wäre,
so muß man das Blatt der Zange mit denen Fingern der als einen Wegweiser in die Mutterscheide
gebrachten Hand zwischen dem Kopf und dem Arm,
um ihn nicht mit einzuklemmen, hineinzuführen
sich möglichst bemühen. Es ist nicht rathsam den
angeschlungenen Arm währender Durchziehung des
Kopfs von einem Gehülfen, der öfters eine stärkere Gewalt anwendet, anziehen zu lassen: der Geburtshelfer soll die Schlinge mäßig angespannet,
und um die Griffe gewickelt sammt der Zange selbst
ergreifen, und hiemit den Kopf sammt dem Arm,
der auf solche Art weniger gezerret wird, zugleich
herausziehen. Ich habe nach dieser Methode einige
Köpfe sammt dem vorgefallenen Arm glücklich herausgebracht, und niemahls einen Arm gebrochen,
oder auf eine andere Art beschädiget, wenn er nicht
schon vorhero, durch einen ungeschickten Versuch
ihn zurückzuschieben, von der Hebamme gebrochen,
oder sonsten verletzet worden ist.

3. **Widernatür. Kopflage. Wenn der Kopf mit dem Gesicht voran in der Beckenhöhle stecket.**

Wenn die Stirne von den Ränften der Schambeine oder auch von dem heiligen Bein aufgehalten wird: so bringe man beyde Blätter der Zange seitwärts an die Ohrengegenden des Kopfs hinauf: nur daß man gleich anfanzs mehr vorwärts ziehe, wenn die Stirne nach rückwärts ist, und mehr abwärts ziehen wenn die Stirne vorwärts auf den Schambeinen aufstehet: damit man zuerst die Stirne von dem Bein, wo sie aufstehet, herab, und den Scheitel gerad zu dem Ausgang bringet: alsbann ziehet man den zwischen der Zange gerad gerichteten Kopf wie sonsten aus der Scham heraus. Viel härter ist der Kopf herauszubringen, wenn er mit dem eingetretenen Gesicht quer in der Beckenhöhle stecket, entweder daß die Stirne zu dem rechten oder linken Darmbein stehet. Die Hindernisse, welche in dieser Lage den Kopf aufhalten, sind doppelt. Erstens kann der Kopf unmöglich quer zwischen die Sißbeine durchgehen, und wenn er noch könnte, so halten ihn die auf dem Vorberg und der Vereinigung der Schambeine gelagerten Schultern auf. Gesetzt also die Stirne stehet gegen das linke Darmbein

bein, so bringe man das Blatt mit dem Stift rück=
wärts bey der Verbindung des heiligen Beins mit
dem linken Darmbein, so weit man kann, hinein;
man halte alsdann den Griff des Blatts nach ab=
wärts, damit der Obertheil der Zange quer über
das linke Seitenwandbein sich anlege, und ziehet
hiemit den Kopf ganz langsam herab, indem man
den Griff des Blatts zu gleicher Zeit immer meh=
rers erhebet: auf diese Art glücket es einigemahl,
daß man nicht nur allein die Stirne herab, und
den Kopf in eine gerade Lage bringet, sondern sel=
ben also umdrehet, daß das Hinterhaupt näher zu
dem heiligen Bein, das Gesicht aber zu den Scham=
beinen kommet, und die Schultern auf diese Dre=
hung des Kopfs von dem Scham= und heiligen Bein
sich entfernen. Hat die Frau Wehen und Kräfte,
so drückt sie den Kopf gar leicht heraus, um so mehr,
wenn man mit dem nähmlichen Blatt während
Wehe den Kopf anziehet! (Es befindet sich ein
Burgerskind hier in der Stadt, dessen Geburt ich
auf diese Art bewerkstelliget habe.) Wäre die Stirn
auf dem rechten Darmbein, so muß man das ande=
re Blatt nehmen und eben so, aber im gegenseiti=
gen Verstand, verfahren. Wenn aber das Becken
nicht gar gut gestaltet ist, oder die Schultern gar
zu stark auf den Vorberg und obern Ränfte der

Scham=

Schamknochen aufgedrückt sind: so gehet dieses nicht an: man muß in diesem Fall die Schulter von den Schambeinen vorhero wegrücken, oder jene von dem heiligen Bein: alsdann mit einem Blatt den Scheitel, so viel es möglich ist, nach vorwärts zu dem Ausgang bringen: nach diesem ziehet man das andere Blatt ebenfalls hinein, fasset den Kopf mit der Zange, und ziehet ihn vorsichtig heraus.

4. **Widernatürliche Kopflage.** Wenn der Kopf mit eingetretenem Hinterhaupt in der Höhle des Beckens stecket.

Um eine vernachläßigte Hinterhauptsgeburt zu bewerkstelligen, werden fast die nämlichen Handgriffe bey Anlegung der Zange erfordert, welche ich eben jetzo bey der Gesichtslage umständlich vorgetragen habe. Die Queerlage des Kopfs nach allen Gegenden der Beckenhöhle kann die nämliche seyn: die Hinterniß von Seiten der Schultern ist eben so stark als wie bey der Gesichtslage.

Wenn der Scheitel vor oder rückwärts sich befindet: so bringe man beyde Blätter bey den Darmbeinen an die Ohren des Kindes hinauf; ist der Scheitel bey dem heiligen Bein, so ziehet man

Steidele Geburtsh. IV. Thl.   D   gleich

gleich anfangs die Zange vorwärts, damit man zuerst mit den Obertheilen der Zange den Scheitel
von dem heiligen Bein hervor und den Kopf nach
seiner Länge zwischen die Zange bringe; stehet aber
der Scheitel vorwärts bey den Schambeinern: so
muß man, um ebenfalls den querliegenden Kopf
vorhero gerade zu richten, mit der Zange anfangs
abwärts, dann vorwärts und endlich den Kopf
nach aufwärts herausziehen: will man gleich anfangs diese Art zu ziehen nicht beobachten, so wird
man viel schwerer den Kopf herausziehen, weil
man ihn queer mit der Zange fasset, und das an
die Brust angedrückte untere Kinn sich wide setzet:
und noch überdieß das Gesicht von den Obertheilen der Zange, die selbes von obenher gewaltig
drücken, übel zugerichtet wird.

Wenn der Scheitel gegen ein oder das andere
Darmbein zustehet: so bringet man ebenfalls wie
bey der Gesichtslage das angezeigte Blatt der Zange hinein, um das aufwärts gegen den Grund der
Gebährmutter liegende Gesicht (welches zwar einigemal von dem Obertheil des Blatts jedoch nicht
stark verletzet wird) nach rückwärts in die Aushöhlung des heiligen Beins zu drehen, und zugleich
den Scheitel von dem Darmbein herab, und näher
zu dem Ausgang zu bringen; die Schultern werden

den sich auch während diesem von dem Scham und heiligen Bein entfernen, aber sich niemals vollkommen zu den Darmbeinen wenden, was aber nicht nöthig ist. Alsdann bringet man das andere Blatt ebenfalls hinein, und ziehet den Kopf wie sonsten heraus.

5. Widernatürliche Kopflage. Wenn der Kopf mit einem Ohr eingetreten, und in der Beckenhöhle stecken bleibet.

Der Kopf kann mit einem Ohr voran quer in der Höhle des Beckens stecken, daß der Scheitel gegen das eine oder das andere Darmbein stehet, und das Gesicht vor- oder rückwärts ist. In diesem Fall wird man nicht viel Mühe haben den Kopf mit der Zange herauszuholen. Fühlet man den Scheitel auf der linken Seite der Frau: so schiebet man das zu diesem Bein gehörige Blatt der Zange, wie gewöhnlich, in die Mutterscheide bis über den Eingang hinauf, und trachtet es mit gelinden Bewegungen zwischen das linke Darmbein und den Scheitel des Kopfs zu bringen: alsdann ziehet man ihn während der Wehen ganz langsam von dem Darmbein weg, und bis zu dem Ausgang herab. Wenn die Frau noch Wehe und Kräfte hat, und so ist

keine Hindern;ße zugegen sind: so wird sie den nunmehro gerade gebrachten Kopf gar leicht durchdrücken; um so mehr, nachdem man während den Keißen
der Frau den Kopf mit dem Blatt mäßig anziehet
(denn stärker anzuziehen wäre aus Furcht der Aus-
glitschung des Blatts nicht rathsam) und hiemit
der Gebährenden ihre Arbeit erleichtert. Wäre
der Scheitel bey dem rechten Darmbein: so muß
man das andere Blatt nehmen, und eben auf diese
Art, aber im gegenseitigen Verstande, die Geburt
zu vollenden trachten: Sollte der Kopf wegen
Abgang der Wehen und Kräften der Gebährenden
nicht durchgehen können: so nimmt man das andere Blatt zu Hülfe, fasset den Kopf mit der geschlossenen Zange und ziehet ihn vollends heraus.
Nur daß man im Durchziehen des Kopfs wohl
Obacht habe, ob das Gesicht nach vorwärts oder
rückwärts gekehret sey: weil hierinnfalls ein Unterschied ist, wie ich bey der Scheitelgeburt schon
gemeldet habe.

Wenn aber der Kopf mit einem Ohr also eingetreten und in die Höhle herabgetrieben wäre,
daß man den Scheitel entweder vorwärts an die
Schambeine angedrücket, oder rückwärts bey dem
heiligen Bein, und das Gesicht beydem rechten, das
Hinterhaupt aber bey dem linken Darmbein, oder
die-

dieses bey dem rechten und das Gesicht bey dem lin=
ken Darmbein fühlet (man findet den Kopf in die=
ser Lage sehr selten) so wird man leicht einsehen,
wie schwer diese Geburt, ja mühsamer als jede
der vorigen, zu behandeln sey; weil mehrere Hin=
dernisße zusammen kommen, und hiemit die Hand=
griffe vervielfältigen; besonders aber wird diese
Geburt schwer seyn, wenn der Scheitel nach rück=
wärts gekehret ist; indem die auf den Schambeinen
fest aufstehende Schulter, wegen dem vorwärts in
der Gebährmutter liegenden Leib des Kindes, nicht
so leicht weg und auf die Seite geschoben, viel we=
niger herabgebracht werden kann.   Es mag denn
der Scheitel vor = oder rückwärts und das Gesicht
zu diesem oder jenem Darmbein gekehret seyn: so
muß man zuvorderst mit den Fingern den Scheitel
herabzubringen,   alsdann mit einem Blatt die
Schulter von den Schambeinern, oder jene von
dem heiligen Bein wegzuschieben, und endlich den
Kopf, wie ich bey der Scheitelgeburt, wo das Ge=
sicht seitwärts stehet, gelehret habe, mit der Zange
herauszuziehen, sich möglichst bemühen.   Das beste
ist, daß man in dieser Lage des Kopfs noch so viel
Raum übrig findet, die Finger einer Hand und die
Blätter der Zange neben selben in die Mutterschei=
                                                        de

be hineinzubringen und durch erstbemeldte Handgriffe die Geburt zu befördern.

In allen diesen erstbemeldten widernatürlichen
Kopflagen ist die Wendung unstreitig das beste und
sicherste Mittel, auch meistens noch möglich, obgleich der Kopf schon merklich in die Beckenhöhle
herabgerückt ist. Dieses Zangenmanuel ist wegen
der Verschiedenheit der Kopflagen nicht so leicht,
als man glaubt, und nur dazumal anzurathen,
wenn der ganz in die Beckenhöhle herabgedrungene
Kopf und die hintenher starke zusammengezogene
Gebährmutter alle Hoffnung einer glücklichen Wendung vereiteln.

III.

III. Abschnitt.

Wenn der Kopf zwar seine verhältnißmäßige
Größe hat, gerad und natürlich stehet, aber
andere Hindernße, gefährliche oder wohl
gar tödtliche Zufälle denselben in seinem
Durchgange aufhalten.

Wenn wirklich der Kopf natürlich groß, ja öfters kleiner ist, gerad und gut stehet; kein anderer
Theil mit selbem vorfällt, und das Becken sowohl
als die weichen Geburtstheile auf das beste beschaffen sind: so können andere gefährliche Zufälle den
in der Beckenhöhle befindlichen Kopf in seinem
Durchgang zurückhalten, und hiemit die Mutter
sammt ihrem Kind unvermuthet, ja öfters ganz geschwind des Lebens berauben, wenn man nicht alsogleich den natürlich stehenden Kopf des Kindes,
den die Mutter nicht mehr nachdrucken, weder der
Geburtshelfer mit den Händen allein herausziehen
noch

noch viel weniger, um die Füsse zu holen, zurückschieben kann, mit der Zange herausziehet, und
hiemit die Geburt beschleuniget. Es fällt jedem
in die Augen, wie wirksam in dergleichen Fällen
und entscheidend die Zange sey: es kömmt nur darauf an, daß der Geburtshelfer mit unerschrocknem
Muth und einer vorzüglichen Geschwindigkeit dieselbe anleget; wodurch er die äußerst schwache, ja
fast sterbende Mutter augenscheinlich dem frühen
Tod entreißet, einigemal auch dem Kinde, mithin
beyden das Leben rettet; welches zu erhalten fast
niemand mehr einen Schein der Hoffnung hatte.
Wie reizend ist das Vergnügen, welches der Geburtshelfer in seinem Herzen fühlet, wenn er die
schwache Stimme der, über die beglückte Erhaltung
ihres Lebens, dankbaren Mutter höret, in denen
Augen aller Umstehenden freudige Blicke siehet, und
das Herz des auflebenden Kindes schlagen fühlet.
Der erwünschte Ausgang einer solchen gefahrvollen
Operation solle jeden Geburtshelfer aufmuntern,
alles zu wagen, um die Entbindung zu bewirken,
und sich jener verderblichen Meinung, die schon
für verloren gehaltene Mutter nicht weiters zu be-
unruhigen, möglichst zu widersetzen, wenn er anderst noch sie zu retten einige Hoffnung hat. Er
wird das Kind (mit wenig) Mühe und öfters sehr

ge-

geschwind herausholen; weil die Anlegung der Zange meistens sehr leicht ist: es müßten nur andere in
vorigen Abschnitten angemerkte Hindernisse damit
verbunden seyn, welche diese Art der Entbindung
vermittelst der Zange schwer und lang daurend
machten: und alsdann könnte es wohl geschehen,
daß ihm die Gebährende währender Operation unter seinen Händen todt bleibet, besonders wenn er
gar zu spät gerufen dieselbe unternimmt, wodurch
er der gesunden Vernunft zuwider handelt, und hiemit seine Ehre beflecket. Folgende Zufälle sind es,
wegen welchen man alsogleich die Zange anlegen,
und den in der Höhle befindlichen Kopf herausziehen muß.

1) Blutstürzungen sowohl innerliche als äusserliche, von was immer für Ursachen sie entstanden
sind. 2) Nicht aussetzende Convulsionen, der Muttermund muß aber völlig verschwunden und der
Kopf bey dem Ausgange seyn. 3) Alle zu fürch-
tende oder schon gegenwärtige innerliche Entzün-
dungen, als des Gehirns, der Lunge, aller Eingeweide des Bauchs, besonders der Gebährmutter, welche sehr schnell in den Brand übergehen,
wenn man nicht die Geburt auf diese Art befördert.
4) Alle Brustkrankheiten, als Blutspeyen, Brust-
wassersucht, Lungensucht, oder andere organische

Krank-

Krankheiten mehr, die einen kurzen Athem machen, das Kreißen verhindern, und die Gebährende
mit der Erstickung bedrohen. 5) Eine außerordentliche Entkräftung und tödtliche Schwachheiten nach
ausgestandenen schweren Krankheiten, oder
wenn man sie zu frühe und unmenschlich zur Geburtsarbeit angestrenget hat. 6) Abgang der Wehen, *) welche nicht sogleich und nachdrücklich
zurückkommen, als man sie wünschet, hiemit das
Kind im Mutterleibe abstirbt. 7) Das todte Kind,
welches durch sein längeres Verweilen in der Gebährmutter faulet, und dieselbe ansteckt. 8) Die
Verhaltung des Urins: da man den Kopf nicht
mehr zurückschieben, weder den Katheter in die
Blase bringen kann. Wenn man zwar den eingeklemmten Kopf des Kindes, das noch lebet, aber mit
augenscheinlicher Gefahr die Blase oder andere den
Kopf umgebende Theile, besonders den vielleicht noch
nicht ganz erweiterten Muttermund, zu zerreißen,
mit der Zange herausziehen, oder aber selbe gar
nicht hineinbringen könnte: so muß man die Blase
über die Schambeiner sammt Haut, Fett, und den
pyramidenförmigen Muskel mit einem langen und
gekrümmten Troicart durchstechen, und hiemit den

Urin

*) Wenn eine Unthätigkeit der Gebährmutter den Mangel der We-
hen veranlasset, so kann man auch kaltes Wasser über den Bauch
umschlagen, um dieselben wieder zurück zu rufen.

Urin durch das von Silberdraht verfertigte beugsame
Röhrel herauslassen, alsdann erst die Geburt nach
den Regeln der Kunst besorgen. Die bruchartig in
die Beckenhöhle herabhangende Gedärme, ein Bla-
senbruch, und der mit ausgetrocknetem Koth angefüllte Mastdarm können unstreitig den Kopf des
Kindes aufhalten: ob man aber in diesen Fällen
die Zange gebrauchen solle, lasse ich jeden vernünf-
tigen Geburtshelfer selbst urtheilen; er soll aber
vorhero überlegen, was für üble Folgen meistens
diese Art der Entbindung begleiten.. 9) Zeichen
der zu befürchtenden Gebährmutterzerreißung, welche
sind: der Bauch ist sehr dick und sehr gespannt, die
Mutterscheide zurückgezogen, der Mund stehet hoch
heftig aufeinander folgende, und doch die Geburt
nicht befördernde Wehen, die vermehrte Bewegung
des Kinds, hauptsächlich aber der spannende Schmerzen an einem gewissen Ort des Unterleibs, über
welchen sich die Gebährende unaufhörlich beklaget.
10) Vorfall der Nabelschnur oder derselben Umschlingung um den Hals des Kindes. Wenn man die
Zange wegen vorgefallener Nabelschnur anlegen
will, so muß man sich wohl in Obacht nehmen,
daß man selbe nicht zwischen dem Kopf und der Zange einklemme, sondern vorhero auf die Seite rücke,
und währender Einbringung der Zange nicht drücke.

cke. Die Herausziehung des Kopfes vermittelst der
Zange, wegen Umschlingung der Nabelschnur, ist
selten nothwendig; es sey denn, daß eine Verblutung Gefahr drohete, oder die längere Dauer der
Geburt einen Schlagfluß befürchten ließe, an welchem das Kind ungezweifelt stirbt. Noch eines muß
ich erinnern, daß man nicht mit der Zange den
Kopf gählings anziehe, sonst könnte man die Nabelschnur gar absprengen, wenn selbe wegen ihrer
Kürze, oder starken Umschlingung sehr gespannt
ist; sondern man solle unter dem Wehe sehr mäs-
sig anziehen, und mehr den Kopf durch das Kreis-
sen der Frau hervorgehen lassen; es ist genug,
wenn man nur die Zurückziehung des Kopfs
nach dem Wehe vermittelst der eingeschobenen Zange verhütet.

Den ausgehirnten Kopf mit der Zange
herauszuziehen, ist viel rathsamer, weil die Haken,
wie ich weiß, viel härter einzusetzen, und wegen
der Ausreißung gefährlich sind. Mit der Zange
drücket man die scharfen Ränder der geöffneten
Hirnschale nach einwärts und vermeidet dadurch die
Verletzungen der Geburtstheile: man wird den ausgehirnten Kopf, den man durch den Druck der
Zange geschmeidiger machet, viel leichter und geschwinder als mit den Haken herausziehen können:

man

man darf auch nicht fürchten, daß die Zange aus-
glitsche, wie die Lieblinge der Haken vormals glaubten; der hirnlose Kopf ist noch dick genug, um ihn
mit der Zange zu fassen und herauszuziehen, ja,
wenn man wirklich ein oder das andere Bein herausgenommen, und die Grundfläche des Hirnschä-
dels gebrochen hat, so wird man doch noch mit der
Zange zurechtkommen.

Den abgerissenen und in dem Leibe der
Frau zurückgebliebenen Kopf kann man eben
auch, so wie er ist, oder ausgehirnet mit der Zange
herausholen. Ich habe dergleichen ausgehirnte Köpfe in Gegenwart einiger theils hier noch befindlichen,
theils schon abgereisten Wundärzte und Geburtshelfer mit der Zange ohne sonderliche Mühe und Schaden der Gebährenden herausgebracht.

Der Wasserkopf, wenn er durch die Wehen
und das Kreißen der Gebährenden nicht gebohren
werden kann, wird auch mit der Zange herausgezogen. Die Erkenntniß eines Wasserkopfs ist leicht:
man fühlet, daß er sehr groß ist, und seine Beiner auf zwey bis drey Zoll weit von einander stehen, wenn es ein innerlicher Wasserkopf ist; man bemerket sehr deutlich die Ränder derselben durch die
Haut, die so scharf sind, als wollten sie die Haut
durchbohren. Der äußere Wasserkopf aber ist viel
größ-

grösser, und bleibt beträchtlichsten Theils über dem
Beckeneingang stehen, wenn man also wegen der
ungeheuren Größe desselben, die Zange gar nicht
hineinbringen, oder, da man sie auch mit nicht ge-
ringer Mühe noch angeleget hätte, den Kopf ohne
Gefahr, die allgemeinen Bedeckungen sammt der
Hirnhaut über den Scheitel durch den gewaltigen
Druck der Zange etliche Zoll lang zu zersprengen,
nicht durchziehen könnte: so muß man mit der rechten Hand einen langen Troicart vermittelst der linken Hand als den Wegweiser in die Mutterscheide
bis an den Scheitel des Kopfs bringen, selben
durchbohren und alsdann mit der Zange herausziehen, wenn ihn die Gebährende nach Verfließung
des Wassers, wegen Abgang der Wehen und starker Entkräftung unmöglich durchdrücken könnte.
Man läßt die Zange an dem Kopf, und die Griffe
derselben von einem Gehülfen aufwärts halten,
und fährt nach unterwärts mit einer Hand und dem
Troikart hinein, um den Kopf anzuzapfen: damit
man nachhero nicht wieder erst die Zange anlegen
darf, was nur die Arbeit verdoppelt.

Der verbeinerte Kopf, dessen Hirnschalen-
beine sich nicht übereinander schieben lassen, muß
ebenfalls mit der Zange herausgeholet werden, wenn

ihn

ihn die natürlichen Kräfte nicht mehr von der Stelle bringen.

Wenn der Steiß in der Beckenhöhle stecken bleibt, so kann man sich, gleich wie bey einer schweren Kopfgeburt, ebenfalls mit Nutzen der Zange bedienen, und sich einen glücklichen Erfolg davon versprechen; nur muß man Acht haben, daß man sie etwas weiter hineinschiebet, wenn sie auszuglitschen scheinet.

Wenn man das Kind bey den Füssen herausgezogen hat, und der Kopf nicht folgen will. Entweder der Kopf ist zu groß, oder der Eingang des Beckens wegen dem stark einwärts ragenden Vorberg des heiligen Beins zu eng. Weil denn die Stirne von dem Vorberg und das Hinterhaupt von den Schambeinen aufgehalten, und hiemit der Kopf zwischen diesen Beinen eingeklemmet wird: so muß man nicht weiter versuchen den Kopf mit den Händen herauszuziehen, sonst läuft man Gefahr entweder das untere Kinn und den Mund des Kindes gewaltig zu verletzen, oder gar den Kopf von dem Leibe abzureissen, daß er nur noch an der Haut hanget; sondern man solle alsobald die Zange anlegen, und den Kopf herausziehen, welches folgendermassen geschieht; nachdem man den Leib des Kindes einem Gehülfen nach aufnärts

wärts zu halten übergeben hat: so bringe man die
rechte Hand, so weit als es der enge Raum zuläßt,
mehr nach rückwärts in die Mutterscheide hinein,
mit der linken schiebe man das Blatt mit dem Stift
mehr nach rückwärts bey dem linken Darmbein über
den Kopf hinauf, und lege es wie gewöhnlich an
die rechte Ohrengegend des Kindskopfs an: alsdann
läßt man von einem anderen Gehülfen den Griff
dieses eingebrachten Blattes nach abwärts und seitwärts halten, und trachtet das andere Blatt mit
gewechselten Händen auf der entgegengesetzten Seite hinein, und an die linke Ohrengegend des Kindes anzulegen. Jeder Geburtshelfer wird erfahren,
wie schwer die Zange, besonders das zweyte Blatt
einzubringen sey, weil der Hals des Kindes einen
großen Theil der Mutterscheide ausfüllet, und hiemit den Raum verengert. Nunmehro fasset er den
Kopf mit der gut befestigten Zange, schiebet ihn
etwas nach aufwärts zurück, und drehet ihn alsdann nur so viel auf eine Seite, daß das Gesicht
in den hinteren großen Ausschnitt neben dem Vorberg des heiligen Beins, folglich der dickere Theil
des Kopfs in den schiefen Durchmesser zu stehen
komme. In dieser Stellung ziehet man ihn unter
gelinden Bewegungen nach seitwärts und in die
Runde in die Beckenhöhle herab, drehet ihn sodann,
um

um das Gesicht in die Aushöhlung des heiligen
Beins zu bringen, wieder zurück, und ziehet ihn
hiemit wie gewöhnlich durch die Scham nach aufwärts heraus. Diese Zurückschiebung und Seit-
wärtsdrehung des Kopfs ist, wie ich oben schon gemeldet habe, nicht ohne Gefahr: doch kann man sie
in diesem Fall anwenden, wenn die gerade Herab-
ziehung desselben mißlinget, weil hier in diesem Fall
die Furcht eines zu erwachsenden Schadens weniger
als in jenem Fall erheblich ist. Man muß dem Gehülfen, der den Leib hält, scharf verbieten denselben anzuziehen, sonst werden die Halswirbelbeine,
die ohnedem schon zu stark ausgedehnet sind, gar
entzwey gerissen. Könnte der Kopf auch durch den
schiefen Durchmesser nicht herabgezogen werden,
so schiebe man neuerdings denselben zurück, und
drehe das Gesicht vollends zum Darmbein hin, damit der dickste Theil in weitesten Durchmesser komme. Nun ziehe man ihn die Beckenhöle herab,
und wende sodann das Gesicht zum heiligen Bein,
damit der dickere Theil des Kopfs in den geraden
und weitesten Durchmesser des Ausgangs gebracht,
und folglich mit mehr Leichtigkeit herausgezogen
werden kann. Sollte dieser Versuch mit der Zange unnütz seyn, so nimmt man sie heraus und bringt
die linke Hand über das Gesicht bis zur Fontanelle

Steidele Geburtsh. IV. Th.   E   hin-

hinauf; hierauf führet man den Haken mit der rechten Hand bis dahin, drücket ihn durch dieselbe in
die Höhle der Hirnschale hinein, und ziehet ihn
herab, indem man zu gleicher Zeit mit der linken
Hand, wo man ihn füglich ergreifen kann, mitarbeitet und anzieht (doch muß man vorhero von
dem erfolgten Todt des Kindes Gewißheit haben.)

Wir haben in diesen dreyen Abschnitten betrachtet, wie mannigfaltig der Gebrauch und verschieden die Anlegung der Zange sey. Das Unbe-
wußtseyn der Nebenumstände und besondern Vortheile nach jeder Lage des Kopfs hat den Werth derselben um etwas vermindert.

Die Levretische krumme Zange verdienet wegen ihrer Verbesserung vor allen den Vorzug, man
kann damit den Kopf des Kindes über die Schambeine fassen, und sehr bequem durch den Eingang
herab, und nach der krummen Linie durch den Ausgang herausziehen; wo im Gegentheil die gerade
Zange wegen ihrer geraden Richtung nur gegen den
Vorberg des heiligen Beins gehet, und das Mittelfleisch durch die tiefe Abwärtshaltung der Griffe gewaltig zurückgedrückt wird; und man betrüget sich,
wenn man glaubet den Kopf gut damit fassen zu können: man ergreifet nur anfangs einen Theil desselben nahe bey dem Hals, und die Zange wird als-

dann

dann auf eine stärkere angebrachte Gewalt währendem
Anziehen gählings ausglitschen, und die Geburtstheile
der Frau beschädigen.

Die von Herrn Levret angezeigte Länge und
Krümmung seiner verbesserten Zange ist die beste.
Man findet einige neuverfertigte, die etwas länger,
weniger gekrümmet, und mit einem verdeckten Schie-
ber versehen sind. Wenn sie etwas länger ist, wird
es nicht schaden, weil man einigemal den noch hochstehenden Kopf ergreifen, und mit vereinigten Kräften herabziehen muß! daß man die Seitenkrüm-
mungen derselben mindert, gefällt mir wohl, weil
eine solche Zange, die in ihrem Querdurchschnitt,
besonders gegen die Vereinigung ihrer Blätter, etwas enger ist, die Scham weniger ausdehnet, und
das Mittelfleisch nicht zerreißet: die Obertheile sollen etwas mehr gekrümmet auf dem Hinterhaupt.
gut anliegen. Einige Geburtshelfer haben zwey
Zangen in Bereitschaft, eine die länger, die andere
die kürzer, und mit länglichten hölzernen Handgrif-
fen versehen ist; die erstere gebrauchen sie, wenn
der Kopf noch hoch stehet, die kürzere aber wenn
der Kopf schon sehr nahe bey der Scham sich befindet: ich finde es aber unnöthig: wer wird allezeit zwey Zangen mitschleppen? Die Gestalt
der kleinen letzt erfundenen Levretischen Zange

E 2   ist

ist in dieser Absicht die beste, nur sollte sie, ohne mindester anderen Veränderung, etwas länger seyn.

Um eine Gebährende mit der Zange glücklich enbinden zu können, werden folgende Hauptregeln erfordert: daß man die Gestalt, und Weite des Beckens nach allen seinen Gegenden, nebst der Gestalt, Grösse und Lage des Kopfs gut wisse: daß man wohl befühle und erkenne, ob der Kopf tief genug in dem Becken stecke, und der Muttermund vollkommen erweitert sey; denn wenn man von dem urtheilen wollte, was man an den Schambeinen von dem Kopf fühlet, so würde man sich öfters irren, weil an diesem Ort das Becken nur zwey Zoll tief ist, und der Kopf tiefer in der Höhle zu seyn scheinet, als er wirklich ist; wenn man aber nach rückwärts untersuchet, und den Kopf kaum erreichet, so ist er noch über dem Eingang. Der Kopf muß bis an den Untertheil des heiligen Beins gekommen, und der dickste Theil desselben die Grundfläche nämlich dem Ranfte des Eingangs gleich seyn. Man solle jederzeit vermittelst einer, so weit es sich thun läßt, in die Scheide gebrachten Hand die Obertheile der Zange leiten und einführen. Die Zange solle möglichst an die Ohren des Kindes angeleget und niemals bey dem Scham und heiligen Bein, sondern

dern allezeit um die Gegenden der Darmbeine hineingeschoben werden. Wenn man aus der Befühlung merket, daß die Schultern über das Scham-
und heilige Bein aufstehen, so solle man sie vorhero
weg und seitwärts zu rücken sich bemühen. Daß man
während Herausziehung des Kopfs auf das Mittelfleisch Obacht habe. Letztlich, wenn man mit
der Zange, ungeachtet eines langdaurenden und
mit vermehrter Gewalt gemachten Versuches, den
eingeklemmten Kopf keineswegs aus seiner festen
Lage zu bringen, und eher die Gebährende über das
Querbett herab, als den Kopf herauszuziehen im
Stande wäre: so solle man den Tod des Kindes erwarten; man wird alsdann die Zange viel leichter
anlegen, und den Kopf, der durch die Fäulniß weicher gemacht weniger widerstehet, fast allezeit herausziehen können. Manchmal wäre es besser ihn
zu perforiren, wenn man im voraus an einem
glücklichern Versuche zweifelt, und das Kind gewiß
todt zu seyn glaubet; weil ein zweyter und zu ge-
waltsam wiederholter Versuch den üblen Zustand
der Geburtstheile nur verschlimmern würde. Jedoch soll man die Anbohrung nicht zu übereilt vornehmen, sondern die Zeichen der Fäulniß abwarten:
nur vom zweyten Versuche mit der Zange soll man
abstehen. Sollte aber der Fall eintreten, daß die

Ge-

Gebährende, oder wegen einem innerlichen Blutsturz, oder einer anderen Ursache gählings in eine tödtliche Entkräftung verfalle, so müßte man diese Operation alsogleich vornehmen, um die Mutter zu retten, bevor die Zeichen der Fäulniß erscheinen Dann nur zu wahrscheinlich ist das Kind schon todt, wenn man die lange Dauer der Geburt, und den an den Kopf des Kinds mit der Zange angebrachten starken Druck in Erwägung ziehet.

Es giebt doch Fälle, wo man von denen allgemeinen in diesen Abschnitten vorgeschriebenen Regeln abweichen, und sich nach der Beschaffenheit außerordentlicher Zufälle richten muß. Um nicht nur allein die Zange geschickt und mit Nutzen anzulegen, sondern auch alle übrige bey schwerer und widernatürlichen Geburten erfoderliche Operationen sowohl mit den Händen allein, als mit Instrumenten unternehmen zu können, muß man erstens die nöthigen Grundsätze der Kunst, Vortheile, und Handgriffe, theils durch das Hören, Lesen und Nachdenken sich bekannt machen, alsdann theils in einer Maschine, hauptsächlich aber an todten Körpern sich öfters üben, und unter der Aufsicht eines geschickten Geburtshelfers todte in selbe eingesteckte Kinder nach allen in der Geburtshülfe üblichen Methoden herausziehen und endlich mit dem Beystand

gee

90

geübter und erfahrner Männer, die man vorhero
einigemal operiren gesehen, sich an Lebendige wagen.
Auf diese Art werden die noch unerfahrnen Geburtshelfer, besonders die Zange anzulegen, die man amöfte-
sten gebraucht geschickt gemacht; sie erlangen eine gewisse
Fertigkeit, die bey gefährlichen und dringenden Umständen eben so rühmlich als entscheidend ist. Man findet
eben diese krumme Zange, wie ich sie zu meinem Gebrauch habe verfertigen lassen, am Ende dieses Werkes abgezeichnet. Sie ist an der innern Fläche ihrer
beyden Blätter, welche den Kopf unmittelbar fassen, nicht ausgehölt, sondern glatt, und hat keine hervorragende Ränder, welche die Haut quetschen,
oder manchmal gar durchschneiden; sie ist in ihrem
Querdurchschnitt, in welchem der Kopf zu liegen
kömmt, auch etwas enger.

Drit-

Drittes Kapitel.

Von der Aushirnung des Kopfs.

Obwohlen man sich bishero alle Mühe gegeben
hat, die scharfen und schneidenden Werkzeuge aus
der Geburtshülfe zu verbannen: so konnte man es
doch nicht zuwege bringen, sie gänzlich zu entbehren.
Es giebt seltene Fälle, in welchen man selbe gebrauchen muß; und diese sind, wenn der eingetretene Kopf unmöglich natürlich durchgehen, weder
mit der Zange herausgebracht werden kann, und die
Gebährende kraftlos und mit gefährlichen Folgen
bedrohet wird. Entweder der Kopf muß sehr groß,
oder, was noch viel ärger ist, und meistens diese
unangenehme Operation veranlasset, das Becken
sehr eng und ungestaltet seyn.

Die

Die Entbindungskunst ist dergestalten verbessert worden, daß man nunmehro nicht so oft als vormals die Kinder im Mutterleibe öffnet, zertrümmert, und dabey die Mutter selbst mißhandelt. Man sollte niemals dergleichen grausame Handlungen unternehmen, als nur in verzweifelten Fällen; wenn man nämlich weder mit der Zange, vielweniger mit den Händen allein den Kopf herauszuhohlen im Stande ist. Gesetzt auch, das Kind wäre todt, ohne dessen gegenwärtigen unläugbaren Zeichen man ohnedem keinen Kopf enthirnen darf; so muß man, wie ich schon gesagt habe, nochmals einen Versuch mit der Zange machen, welcher selten mißlingen wird. DasPerforatorium wird, seltene Fälle ausgenommen, nie anders, als nach vorhero gemachtem Gebrauch der Zange angewendet. Denn die Grade des eingekeilten Kopfs lassen sich selten anders, als aus der Erfahrung (á posteriori) beurtheilen und erkennen. Sollte aber der in dem engen Eingang, gleich einem Nagel in der Wand, eingeklemmte Kopf aller sowohl natürlichen, als durch die Wirkung der Zange angebrachten Gewalt widerstehen, und dadurch die Mutter wegen dem unvermeidentlich, theils durch die Fäulung des Kindes, theils durch die Entzündung sämmtlicher inneren Geburtstheile entstehenden kalten Brand in augenscheinliche Lebens-

bensgefahr setzen; so ist man gezwungen durch
die Aushirnung denselben kleiner zu machen, und
alsdann mit der Zange, oder mit dem Haken
herauszuziehen. Man kann auch versuchen die
Perforation zu machen, ohne die Zange vorhero
herauszunehmen; es läßt sich thun, und man
hat sich die Mühe, die Zange wieder anzulegen,
ersparret.

Zu diesem Ende hat man verschiedene Werkzeuge erfunden; weil aber die meisten sehr mühsam
anzulegen sind, und meistens die Geburtstheile gefährlich, öfters gar tödtlich verletzen; so hat man
die Zahl derselben um vieles vermindert, und nur
etliche beybehalten, die am wenigsten die Geburtstheile zu verletzen schienen. Aber auch unter diesen
sind einige, die man theils verbessern, theils gar
weglassen sollte.

Das Perforatorium, die breite Beinzange,
und die zwey Smelischen Haken sind diese Instrumente, deren man sich, eingekeilte Köpfe auszuhirnen und durchzuziehen, noch heut zu Tage bedienet.
Das Perforatorium, wie man es sammt den übrigen in verschiedenen Authoren abgezeichnet findet,
scheinet mir an seinen Griffen zu kurz, und nicht
stark genug zu seyn, um mit der erfoderlichen Gewalt besonders einen hochstehenden, oder gar verkei-

ner.

nerten Kopf sprengen, und weit genug öffnen zu
können. Die breite Beinzange ist überflüßig, und
die Haken kann ich gar nicht gutheißen; sie sind zu
kurz, ihre Griffe sehr unbequem zu halten, und zu
leiten: man kann sie sehr schwer in die Beine des
Kopfs einsetzen, weil ihre Obertheile zu sehr gekrümmet, und die Spitzen fast perpendicular abwärts und etwas auswärts laufen: und wenn man
endlich beyde Haken mit der beschwerlichsten Mühe
eingesetzet hat, so muß jedem Geburtshelfer natür-
licher Weise die Haut schaudern, wenn er sich vorstellet: jetzo reißet einer aus, und fährt in die Geburtstheile der Mutter! zerreißet sie öfters sammt
der Blase, oder den Mastdarm, nachdem die Spitzen derselben nach vor- oder rückwärts gerichtet sind.
Man weiß Beyspiele, daß sie der Gebährmutter
selbsten tödtliche Wunden zugefüget haben. Man
glaubet öfters die Haken fest eingesetzet zu haben:
unterdessen stecken sie nur in der Haut, und an einem wankenden Bein, das plötzlich nachgiebt; auf
diese Art bringen diese zwey Haken mehr Schaden
als Vortheil, und das Hülfsmittel ist öfters ärger
als das Uebel selbst. Man kann sie unmöglich fest
und sicher genug einsetzen, weil einer dem andern
im Wege ist; wenn man den zweyten einschiebet,
so wird der erste verrückt, und vielmehr in die Ge-
burts-

burtstheile der Frau eingedrückt: und wenn man
selbe auch, so wie es möglich war, eingesetzet hätte, so kann man die Spitzen inwendig nicht bedecken,
noch auf den Kopf, den man herausziehen will, sicher
liten, weil man mit beyden Händen an denen Griffen der Haken ziehet.

Mein Perforatorium, dessen ich mich den Kopf
zu öffnen bediene, ist an seinen Griffen stärker und
um vieles länger. Der Haken, den ich, um die
Grundfläche des Kopfs zu zerbrechen und herauszuziehen, gebrauche, ist ebenfalls um ein merkliches
länger: der Griff ist von Bein: der Obertheil des
Hakens ist weniger gekrümmet, und dessen Spitze
laufet um sechs bis acht Linien mehr schief auswärts, als die Spitze des Smelischen Hakens: man
findet ihn sammt meinem Perforatorium am Ende
dieses Werkes abgezeichnet. Blos allein mit diesen
zweyen Instrumenten verrichte ich diese Operation
auf folgende Art.

Nachdem die Gebährende wie sonsten auf das
Querbett geleget worden: so bringe ich die Finger
meiner linken Hand bis an den Kopf in die Mutterscheide hinein: mit der rechten Hand ergreife ich
das Perforatorium, und führe selbes an der innern
hohlen Fläche meiner in die Scheide gesteckten linken Hand, als den Wegweiser, bis an den Kopf
hin-

hinein: hierauf suche ich mit dem Mittelfinger, an welchen ich die Spitze des Instruments fest andrücke, die Fontanelle, oder ich bleibe mit selben an der Pfeilnath, (was mir sicherer zu seyn scheinet, weil die Pfeilnath mitten in der Becken= höhle, die Fontanelle aber zu weit rückwärts sich findet,) an welche ich mit eben diesem Finger die Spitze des Perforatorii hinweise, und hiemit be= ständig begleite. Wenn ich denn an dem angezeigten Ort die Spitze angesetzet habe: so halte ich die Griffe etwas abwärts, um nach der Axe des Ein= gangs den Kopf zu durchbohren, drücke alsdann die Spitze in die Runde drehend, und gleichsam bohrend durch die allgemeinen Bedeckungen zwischen die Beine durch und schiebe hierauf das Obertheil dieser perforirenden Kopfscheere fast bis auf ihre Verbindung ganz langsam in die Höhle des Kopfs hinein; wenn dieses geschehen, so halte ich mit der rechten Hand das Perforatorium in so lange ruhig und unbeweglich, bis ich die linke Hand aus der Scham herausgebracht habe. Nunmehro ergreife ich mit jeder Hand einen ringförmigen Griff, oder ich stecke die Zeigefinger in die Ringe hinein, und ziehe sie, so viel es sich thun läßt, quer auseinander: hierauf kehre ich die vorhero wieder zusammengefügte Griffe um, daß einer nach aufwärts, der andre ab=

abwärts kommt, und ziehe sie wiederum, so weit
ich kann, auseinander, wodurch der Kopf durch diesen kreuzförmigen Spalt sehr weit geöffnet wird:
alsdann ergreife ich die wieder zusammengefügten
Griffe mit einer Hand, drehe einigemal in einem
halben Kreise das Perforatorium, um das Gehirn
zu zerstören, in dem Kopfe herum, und bringe es
sodann auf der andern vorhero in die Scheide gebrachten Hand wieder zurück, und aus der Scham
heraus (die Spitze des Perforatorii muß ziemlich
scharf seyn, sonst wird man die harte Hirnhaut, die
sammt dem zusammengefallenen Gehirn nachgiebt,
öfters nicht durchbohren, besonders wenn es kurz
ist, und nicht tief genug hineingeschoben wird) das
ausfließende Gehirn muß man mit der Hand über
die Scham und den Ranft des Bettes in das vor
den Füssen stehende mit Wasser angefüllte Gefäß
hinabstreifen. Nun bringe ich die Blätter der Zange bey den Darmbeinen an die Ohrengegenden hinauf (man muß wohl Obacht haben, daß man das
eine, oder das andere Blatt nicht durch die gemachte Oeffnung in die Höhle des Kopfs hinein, sondern nach außenher längst der Mutterscheide an die
Ohrengegend anbringe,) drücke den Kopf mit der
festgeschlossenen Zange, so stark ich kann, zusammen, und ziehe ihn hiemit wie gewöhnlich heraus.

Soll-

Sollten die aufstehenden Achseln die Durchziehung des Kopfs verhindern: so muß man sie vorhers weg und seitwärts rücken. Selten hat es mir fehlgeschlagen; ich habe die meisten ausgehirnten Köpfe glücklich, und einige sehr geschwind mit der Zange herausgeholt: denn wenn einmal der angeschwollene und ringsherum den Eingang verschließende Kopf hirnlos und kleiner gemacht worden: so wird man die Blätter viel leichter, was vorhin nicht möglich war, hineinbringen können: und was man noch für einen Vortheil hat, ist dieser, daß man den ausgehirnten Kopf gewaltig zusammendrücken kann, wodurch er geschmeidiger, und hiemit zum Durchziehen geschickter gemacht, und zugleich verhindert wird, daß die scharfen Ränfte der gebrochenen Hirnschalbeine, die man auf diese Art nach einwärts gegen die Höhlung des Kopfs drückt, die Geburtstheile der Mutter nicht verletzen können.

Wenn aber die Grundfläche (Basis) so fest in dem Eingang eingekeilet, entweder die Anlegung der Zange gar nicht zuließe: oder wenn man sie auch sehr mühsam hineingebracht hätte, sich ihrer Gewalt hartnäckig widersetzte: so muß man alsobald die Zange weglassen, wenn man die Frau nicht gefährlich beschädigen will, und anjetzo auf

die

die Grundfläche als die einzige Hinderniß losge-
hen. Um dieſes zu bewerkſtelligen, trachte ich mit
denen Fingern meiner linken in die Mutterſcheide
gebrachten Hand die Haut von denen Beinen ab-
zulöſen, und ein wo nicht beyde Seitenwandbei-
ne loszumachen und herauszunehmen. Wenn der
Kopf ſehr gefaulet iſt, ſo gehet dieſes leicht an:
es koſtet aber etwas Mühe, und die Finger werden hier und dort von den ſcharfen Ränften öfters
ſtark zerkratzet; wenn ich ſie aber mit den Fingern nicht losreißen kann, ſo nehme ich meinen
Haken zu Hülfe. Hierauf bringe ich die Finger
meiner linken Hand nach inwendig bis an die
Grundfläche des enthirnten Kopfs: mit der rechten Hand ſchiebe ich den Haken ebenfalls dahin-
auf, und bemühe mich, wo ich kann, denſelben
einzuſetzen. Wenn ich mit der Spitze gleichſam
bohrend um die Gegend des Keilbeins und den
felſichten Vorſatz des Schlafbeins durchbrechen,
und ſelbe mit Hülfe der Finger feſt eindrücken
kann: ſo ziehe ich alsdann den Haken mäßig an,
indem ich ihn zugleich, um mehr die Grundfläche
zu zerſprengen, mit aller Gewalt umdrehe: kann
ich aber den Haken nicht ſicher und feſt genug inwendig einſetzen: ſo trachte ich auf jener Seite,
wo ich das Seitenwandbein weggenommen habe,
                                                den

den Haken in die Oeffnung des Ohrs von außenher hineinzudrücken, und hiemit ein Schlafbein
auszubrechen, damit die Grundfläche zusammen-
falle, und hiemit schmäler werde. So lange ich
mit dem Haken arbeite, so begleiten ihn die Finger meiner linken Hand beständig, um zu verhindern, daß er die Gebährmutter nicht verletze, wenn
er von ungefähr durch einen stärkeren Zug mit
einem Bein vom Kopf loßreißet. Alsdann schiebe
ich die Blätter der Zange hinein, und ziehe hiemit
den Kopf heraus, der noch dick genug ist; um ihn
gehörig fassen zu können, daß er der Zange nicht
entwischet.

Es leben noch zwey Frauen hier, die ich
auf diese Art zu entbinden gezwungen war:
nachdem ich die Köpfe ihrer schon faulenden Kinder ausgehirnet, und etliche Beine ausgebro-
chen hatte, zog ich sie in Gegenwart zweyer anderen Geburtshelfer mit der Zange heraus; ich
stellte ihnen vor, daß das die sicherste und geschwindeste Methode wäre die zertrümmerten Köpfe vollends herauszuziehen, welches aber nicht
so leicht, geschwind und sicher mit den Haken angehet.

Wenn man aber, wegen dem sehr engen Raum des Eingangs, den vielleicht noch überdieß hochstehenden Kopf unmöglich mit der Zange herausholen zu können vorsiehet: so solle man gar keinen Versuch mehr machen, die Zange anzulegen, besonders da die Geburtstheile stark angeschwollen und entzündet sind. Ich bemühe mich alsdann, wie es möglich ist, ein Bein um das andere, und endlich den Rest des zertrümmerten Kopfes mit meinem Haken und der anderen Hand nach und nach herauszubringen. Man muß aber niemals vergessen, die Spitze des Hakens nach der hohlen Hand zu drehen, und auf solche Art jedes Bein gemeinschaftlich, theils mit dem Haken, theils mit der Hand, welche die Stelle des zweyten Hakens vertritt, loszubrechen, und ohne die Geburtstheile der Frau zu verwunden, herauszunehmen. Man kann den Haken, wo es immer möglich ist, in die Augenhöhlen, in den Mund oder Ohren einsetzen, wenn er nur einen festen Halt hat.

Ich hatte einmal einen Kopf ausgehirnet, der stark von Beinen und noch nicht gefaulet war; nachdem ich ihn hierauf mit meinem Haken zertrümmert, und fast alle Beine blos allein mit der Hand von der Haut abgelöset,

und

und herausgenommen hatte: so ergriff ich die
Haut des Kopfes, an welcher noch zwey kleine
Beine der Grundfläche zurückgeblieben find, mit
meiner rechten Hand, und zog hiemit den Leib
heraus.

Einen verbeinerten Kopf anzubohren ist
viel schwerer, weil man kaum die Fontanelle oder
eine Sutur finden, und die Spitze des Perforatorii sehr hart durchstossen kann. Mitten durch
ein Bein zu bohren ist gar nicht möglich; man ist
in Gefahr mit diesem gählings über den Kopf weg-
glitschenden Instrument die Mutter gefährlich zu
verwunden, wenn man es mit mehrerer Gewalt, und nicht in der Mitte des Kopfes an-
drückt. Damit man aber dennoch eine Sutur finden könne: so muß man mit der Spitze des Perforatorii zuerst eine Oeffnung in der Haut machen,
alsdann so lange und eben so, als wie man mit einer feinen Sonde eine Fissur auf den Beinern des
Kopfes zu entdecken trachtet, mit der Spitze unter
der Begleitung des Mittelfingers über die Hirnschale herumfahren, und hiemit eine Sutur suchen, die man auch gewiß finden, und alsdann
durchstossen kann. Uebrigens geschiehet die Aushirnung eines verbeinerten Kopfes eben auf die erst-

F 2

bemeldte Art; nur daß sie vielmehr Mühe ko-
stet, weil die Beine viel dicker, und wegen ihrer
festen Verbindung sehr hart loszubrechen sind, und
der Kopf sich nicht so leicht schmal und zusammendrücken läßt.

Wenn der Kopf widernatürlich in der
Beckenhöhle stecket, und nicht ehender als
nach vollbrachter Aushirnung herausgebracht werden kann: so muß man sich hauptsächlich nach
desselben Lage richten, um eine taugliche Sutur finden, und anbohren zu können. Die Durchziehung des Kopfes mit der Zange, oder dem Haken, geschiehet nach denen hierzu schon angemerk-
ten Regeln.

Bleibet der Kopf in dem engen Ausgang
stecken: so ist die Aushirnung viel leichter, und
der Gebrauch des Hakens weniger gefährlich. Die
vor- und rückwärts aufstehenden Schultern können noch grossen Widerstand machen, wenn das
Gesicht auf eine, oder die andere Seite gekehret
ist.

Wenn

Wenn die Zange nicht Statt findet: so ziehe ich blos allein mit diesem Haken und meinen Händen ausgehirnte Köpfe heraus und es hat mir noch allezeit geglücket, ohne daß ich die Mutter beschädiget habe, welches nach dieser Methode auch nicht leicht geschehen kann.

IV.

Viertes Kapitel.

Die Art einen abgerissenen und in dem Leib der Gebährenden zurückgebliebenen Kopf mit Instrumenten herauszubringen.

Die Ursachen, welche zu der Abreißung des Kopfs von dem Leibe des Kinds Gelegenheit geben und die Art und Weise, wie man ihn bloß mit den Händen allein herauszuziehen im Stande sey, habe ich in meinem Lehrbuch für Hebammen schon angemerket. Wenn aber die Hände allein nicht hinreichend wären, so muß man hiemit die Instrumente zu Hülfe nehmen. Jetzo kömmt es nur darau an zu wissen, ob der Kopf in der Beckenhöhle nahe bey dem Ausgang, oder ob er in, oder gar über den Eingang gelagert, und wohin das Gesicht gekehret sey.

Wenn

Wenn der abgeriſſene Kopf in der Beckenhöhle nahe bey dem Ausgang ſtecket: ſo drehet man das Geſicht, wenn es nach einer Seite zuſtehet, vorher nach rückwärts in die Aushöhlung des heiligen Beins; alsdenn verſuchet man die Zange nach den Geſetzen der Kunſt anzulegen, und den Kopf herauszuziehen. Wenn aber dieſer Verſuch, was ſelten geſchiehet, wegen dem gar zu engen und ungeſtalten Ausgang mißlingen ſollte: ſo iſt kein anders Mittel übrig, als den Kopf zu enthirnen, und kleiner zu machen, was in dieſem Falle ſehr ſchwer iſt, weil die leicht zu durchbohrende Hirnſchalbeine nach aufwärts gekehret ſind, und die Grundfläche vor dem Ausgange ſtehet; man kann auch den Kopf nicht umwenden, daß der Scheitel vorankomme, indem er ſchon tief zwiſchen den Beinen ſtehet, und von der Mutterſcheide umgeben iſt.

Wenn noch Wirbelbeine daran wären, ſo muß man ſelbe vorher mit dem Perforatorio, deſſen Spitze man zwiſchen das Hinterhauptbein und dem erſten Wirbelbein einſetzet, oder mit meinem Haken ausbrechen, und alsdann mit den Fingern herausnehmen: damit man das Perforatorium in das groſſe Hinterhauptloch hineinſchieben, ſelbes zer-

zersprengen, und alsdann das Hirn herauslassen könne.

Diese Methode den Kopf auszuhirnen gerathet selten, weil man entweder die festhangenden Wirbelbeine nichts losreißen kann, oder, wenn man sie auch weggeschaffet hätte, das Hinterhauptloch zu klein, oder sehr stark und zu dick ist, als daß man es mit diesem Werkzeug sprengen könne, welches, wie ich erfahren habe, viel ehender sich verbirget, als seine Wirkung machet. Mit einem Haken, den man da hineinstecken und damit anziehen soll, wird man noch weniger zurecht kommen; er wird so oft ausreißen als man ihn wieder einsetzet. Man muß unumgänglich den Kopf vorhero enthirnen, die Grundfläche zerstören, und hiemit auf eine andere Art denselben kleiner machen. Diese ist, daß man meinen Haken nach rückwärts hinauf führet, die Fontanelle damit durchbohret, in dieselbe einsetzet, und auf diese Art gemeinschaftlich mit der anderen Hand herauszichet.

Wenn dieß auch nicht bewerkstelliget werden könnte: so drücke ich das Hinterhaupt, so gut ich kann, nach rückwärts zu dem Steiß- und heiligen Bein, das noch leichter angehet, wenn noch einige Wirbelbeine daran hangen; damit ich die Winkelnath (sutura lambdoidea) von den Schambeinern

nern

nern herab, und vor den Ausgang bringe, durch
welche ich das Perforatorium, dessen Griff ich aufwärts halte, hineinstoße, und wie gewöhnlich die
kreuzförmige Oeffnung mache. Sodann bringe ich
das Perforatorium heraus und meinen Haken hinein, den ich von inwendig in das große Hinterhauptloch einsetze, und hiemit das Hinterhauptbein
loszusprengen, und auf meiner linken bey dem
Steiß- und heiligen Bein unterlegten Hand, die den
Haken leitet, die Scham bedecket, und zugleich anziehen hülft, herauszunehmen trachte: während daß
ich ziehe, halte ich den Griff immer mehr und mehr
aufwärts. Wenn ich dieses Bein herausgebracht,
den Kopf ausgeleeret, und folglich kleiner gemacht
habe: so suche ich den Haken, [wo ich immer
kann, weiter oben einzusetzen, alsbann den
ausgehirnten Kopf vermittelst des Hakens und
meiner linken Hand fest zu fassen, und endlich behutsam unter gelindem hin und her Wan-
ken, herauszuziehen. Man kann ihn auch mit
der Zange herausholen, wenn es der enge Ausgang
zuläßt.

Stecket der Kopf, dessen Stirn an den Vorberg angedrückt ist, noch im Eingang des Beckens:
so lege man die Zange an, schiebe den Kopf etwas
zurück, und drehe ihn alsbann auf eine Seite, damit

mit das Gesicht zu einem Darmbein komme: in dieser Stellung ziehet man ihn von einer Seite zur andern wankend in die Höhle herab, und endlich durch den Ausgang heraus, nachdem man ihn vorhero umgedrehet, und das Gesicht in die Aushöhlung des heiligen Beins gebracht hat. Bringet ihn die Zange nicht' heraus, so bediene man sich des Hakens, setze ihn ebenfalls in die grosse vordere Fontanelle ein, und ziehe hiemit den Kopf gemeinschaftlich mit der andern Hand, heraus.

Wenn aber der Kopf noch über dem Eingang stehet, und wegen seiner ungeheuren Größe, oder übermäßigen Enge des Eingangs unmöglich mit den Händen, oder vermittelst der Zange, die in diesem Fall sehr hart, öfters gar nicht anzulegen ist, herab und so fort durch den Ausgang gebracht werden kann; so läßt sich leicht vorstellen, wie außerordentlich schwer, langdaurend und mühsam für einen Geburtshelfer, und schmerzlich für die Mutter die Ausziehung des Kopfs seyn werde; man muß ihn vorhero aushirnen, die Hirnschale zerbrechen, und alsdann erst Bein vor Bein herausnehmen. Wie vielmal wird man die Hände in den Leib der Frau bringen, die Scheide, den Muttermund, ja die Gebährmutter selbst sammt allen umliegenden Theilen quetschen, ausdehnen, öfter gar verwunden, wenn

man

man den Haken, deffen Spitze zwar ftumpf ift,
nicht gut leitet, und die fcharfen Ränfte der gebrochenen Beine, anftatt fie behutfam abzulöfen, nur
herausreißet. Wenige kommen davon, an denen
man diefe fo mühfame als gefährliche, aber doch
nothwendige Operation hat machen müffen: es
entftehen die fchmerzlichften Folgen, welche der un-
glückfeligen und eines beffern Schickfals werthen
Mutter in fo lang die empfindlichften Schmerzen
fühlen laffen, bis fie endlich der kalte Brand nach
etlichen ruhigen aber tödtlichen Stunden auf immer dahinreißet, und hiemit ihrem martervollen
Leben ein Ende machet. Ein trauriger Ausgang,
den man leicht vorfehen, aber felten vermeiden kann.
Unterdeffen ift diefe Operation doch das einzige Mittel; man muß fie unternehmen, fonft ftirbt fie gewiß. Damit man alfo den Kopf perforiren, und
von dem Gehirne leer machen könne: fo muß man
mit der in die Gebährmutter hineingebrachten linken
Hand ihn vorhero dergeftalten umkehren, daß der
Scheitel herabkomme: den Bauch läßt man von einem Gehülfen nach abwärts drucken, damit der bewegliche Kopf dadurch feftgehalten werde. (Wenn
es nur allzeit möglich wäre, den Kopf alfo umzu-
kehren: Herr Profeffor Lebmacher hat mich ebenfalls verfichert, daß es fich felten thun läßt.) Hierauf

auf bringet man das Perforatorium bis an die
Fontanelle; und damit es nicht über den wankenden Kopf wegglitsche: so muß man sehr langsam
und immer bohrend dieselbe durchstechen, und das
Perforatorium endlich bis an die Höhlung des Kopfs
hineinschieben: übrigens machet man die Aushirnung wie sonsten.   Wenn der bewegliche Kopf
nicht fest gehalten werden kann, und das Perforatorium über demselben abglitschet: so muß man
meinen Haken, wo es sich immer thun läßt, einsetzen, von einem Gehülfen halten, und zugleich
etwas anziehen lassen: damit der Kopf unbeweglich
und hiemit die Durchbohrung viel leichter und sicherer gemacht werden könne.   Es ist nicht möglich den
Kopf so geschickt umzudrehen, daß die Fontanelle in
den Eingang komme: man muß ihn anbohren, wo
man immer das Perforatorium hineinzubringen im
Stande ist.   (Im Monat Februarii habe ich in
Gegenwart eines meiner Schüler einen abgerissenen
Kopf aus dem Leibe einer ledigen rachitischen Person auf diese hier beschriebene Art herausgenommen.   Mein Haken hat mir hier wesentliche
Dienste gethan.   Der Vorberg war so einwärts
gewachsen, daß ich nachhero kaum die Hand in die
Gebährmutter bringen konnte, um die Nachgeburt
abzulösen, die ich wegen der entstandenen gefährli-

chen

chen Verblutung alsogleich herausnehmen mußte.)
Hierauf muß man so lang ein Bein nach dem andern mit dem Haken losbrechen, und mit der linken Hand herausnehmen; bis endlich der Kopf,
der nur noch aus etlichen Beinen der Grundfläche
und des Gesichts bestehet, so klein geworden ist,
daß man ihn mit einer Hand vollends herausziehen
kann. Sollte eine Verblutung vor oder währender
Operation wegen halb abgelöster Nachgeburt entstehen: so muß man sie alsogleich ablösen, und herausnehmen, und alsdann mit der Operation weiter fortfahren, damit die Gebährmutter jenen
noch immer erheblichen Raum, welchen die her-
ausgenommene Nachgeburt übrig läßt, gewinnen,
und durch ihre Zusammenziehung die blutenden Gefässe mehr verengern könne; wenn die Blutstürzung nicht aufhöret, so kann es geschehen, daß
die Mutter während dieser unangenehmen Handlung plötzlich stirbet, weil die Gebährmutter sich
nicht zusammenziehen kann, so lang der Kopf darinnen ist, den man doch nicht so geschwind herauszuholen im Stande ist. Um dieses Unglück zu vermeiden, muß der Geburtshelfer so lange die Arbeit
unterlassen, und alle nur erdenkliche Mittel anwenden die Blutstürzung zu stillen, und die fast sterbende Frau zu sich zu bringen; sonst wird man ihn für

den

den Räuber eines Lebens ansehen, das er zwar nicht
erhalten, aber doch auf eine kurze Zeit hätte ver=
längern können.

Einigemal wird man zu späte gerufen, den
abgerissenen und in der Gebährmutter zurückgeblie=
benen Kopf herauszuziehen. Der Muttermund hat
sich unterdessen geschlossen, den man sodann erwei=
tern, und den Kopf, wie es die Umstände erfodern,
herausziehen muß. Wenn aber der Muttermund
sehr dick und dergestalten krampfmäßig zusammen=
gezogen wäre, daß man ihn ungeachtet aller an=
gewandten Mühe unmöglich erweitern könnte:
so ist es besser der Natur die Sache zu überlas=
sen, als mit Gewalt denselben zu erweitern su=
chen: weil Convulsionen kommen, oder ehender
eine Entzündung und der Tod, als die Auszie=
hung des Kopfs erfolgen würde. Man muß rei=
zende Klystiere, erweichende Bähungen und inner=
liche krampfstillende Mittel brauchen, um die hin=
längliche Wiedereröffnung des Muttermunds zuwe=
ge zu bringen. Unterdessen muß man aber durch
Bähungen und Einspritzung balsamischer Arzneyen
die Gebährmutter in so lang reinigen und verthei=
digen, damit sie von dem zurückgebliebenen und bald
faulenden Kopf nicht angestecket werde; bis man

ihn

ihn endlich durch den wieder eröffneten Muttermund herausziehen kann: oder bis er von sich
selbsten, wenn er klein und von einem frühzeitigen
Kinde ist, stückweise mit dem unerträglichsten Ge-
stanke abgehet.

Fünf-

Fünftes Kapitel.

Von der Eröffnung der Brust.

Unter der Eröffnung der Brust muß man nicht jene grausame, niemals erforderliche, von allen geschickten Geburtshelfern verabscheute und für die Mutter höchst gefährliche Operation, nämlich, das Kind im Mutterleibe zu zerschneiden, und stückweis herauszunehmen, verstehen, sondern sich einen weniger grausamen Begriff von dieser Handlung machen, weil sie der Natur in Betrachtung der Nothwendigkeit, kein so gräuliches Entsetzen verursachet, und doch die Mutter rettet, wenn nicht schon solche böse Folgen zugegen sind, die ihr Leben auf die Spitze setzen. Man öffnet die Brust des todten Kindes, nimmt die Lunge und das Herz heraus, und drücket sie alsdann

dann zusammen; auf diese Art wird sie in ihrem Umfang kleiner und dergestalten geschmeidig gemacht, daß man nunmehro die Hand, um einen Fuß zu holen, in die Gebährmutter bringen, wie auch die Brust durch den Leib der Frau herausziehen könne, wenn sie in ihrem natürlichen Durchgang stecken bleibet. Die Fälle, in welchen diese Operation vorgenommen werden muß, ereignen sich außerordentlich selten: nur allein wenn die Brust ungeheuer dick, und das Becken eng ist; das Kind mag demnach zur Zeit der Geburt mit der Brust in den Muttermund eingetreten, oder mit dem Kopf, oder den Füßen voran durchgegangen seyn, aber alsdann mit selber in dem Becken stecken bleiben.

Man hat aber bishero meistens die Ausleerung der Brust gemacht; wenn sie mit ihrem vordern, Seiten- oder Hintertheil eingetreten, und wegen verabsäumter Wendung durch die Gewalt der Wehen und heftigen Kreißen gänzlich in die Höhle des Beckens herabgedrückt; oder, wenn ein Arm vorgefallen, von einer unwissenden Hebamme fast bis in den Ausgang herabgezogen, und hiemit eingepresset worden ist, da doch sonst das Verhältniß derselben mit dem Becken gar nicht fehlerhaft war.

Steidele Geburtsh. IV. Thl.   G   Isch

Ich habe in meinem Unterricht für Hebammen deutlich bewiesen, daß der Gebrauch der Instrumente keineswegs in diesem Fall nöthig sey,
sondern nur bloß allein in jenem statt finde, wenn
die Brust übermäßig dick, oder monstros sey,
dergleichen ich nur eine in meiner so vieljährigen
und häufigen Praxi gesehen und selbsten ausgeleeret
habe.

Wenn denn also eine solche ungeheuer dicke
Brust, mit was immer für einer Gegend, in die
Geburt eingetreten in dem Becken eingeklemmet
stecket, und das Kind aus den sichersten Zeichen
für todt erkannt wird: so suche man mit den Fingern der in die Mutterscheide gebrachten linken
Hand einen Zwischenraum zweyer Rippen: durch
diesen drucket man das Perforatorium, welches
man aber sehr behutsam auf seiner wegweisenden
linken hohlen Hand bis dahin, und endlich wie
gewöhnlich gleichsam bohrend bis in die Höhle der
Brust hineinbringen muß; fährt alsdann mit der
linken Hand heraus, und machet, wie bey der
Eröffnung des Kopfs, jenen kreuzförmigen
Spalt. Hierauf schiebet man wiederum die linke
Hand hinein, fährt mit den Fingern zwischen der
Haut und den Rippen, trachtet etliche entzwey
zu brechen, und hiemit die Oeffnung so viel zu er-
wei-

weitern, daß man die Finger fast bis auf die
halbe Hand in die Höhle der Brust hineinstecken
könne; alsdann zerreißet man das Mittelfell,
löset die Lunge und das Herz von allen Seiten
ab, bringet einen Theil um den andern, oder alles zugleich, wenn es angehet, aus der Scham heraus, und endlich die Hand wieder hinein, mit der
man denn die Brust zusammen, und die gebrochenen
Rippen nach einwärts drücket, und hiemit die
Wendung machet.

Sollte man wegen dem sehr angeschwollenen
Bauch die Hand noch nicht in die Gebährmutter
bis zu einem Fuß bringen können: so muß man
auch das Zwergfell mit denen Fingern durchbohren,
und die darinn enthaltene Luft oder Wasser sammt
einigen Eingeweiden herausnehmen: alsdann wird
man gewiß die Füße holen; das Kind wenden, und
endlich mit unter die Brust gelegter Hand, damit
die gebrochenen Rippen die Geburtstheile nicht verletzen, herausziehen können. Den Haken, die
Rippen zu brechen und die Eingeweide herauszu-
reißen, wie auch das Perforatorium, das Mittelfell der Brust und das Zwergfell zu durchbohren, finde ich überflüßig, weil man eben dieses
mit den Fingern so gut und mit nicht gar großer
Mühe bewirken kann. Wenn aber ein Seitentheil

der

der Brust eingekeilet ist, und der vorgefallene Arm
vor dem Leib heraushanget: so muß man den Arm
vorhero ausdrehen, und dann durch die nämliche
Oeffnung die Brust erweitern, und wie ich erst gesagt habe, ausleeren.

Ganz anderst muß man verfahren, wenn der
Kopf gebohren, oder die Füße sammt dem Hintern
des Kinds heraus gezogen worden, und die allzubi-
cke Brust nicht folgen will. Ehe und bevor man zu
scharfen Instrumenten greift, soll man alle mögliche Handgriffe und Vortheile versuchen, besonders
wenn die Füße zu erst hervorgekommen sind, weil
man dieselben mit Macht anziehen kann. Sollte
aber aller Versuch fruchtlos und das Kind gewiß
todt seyn: so muß man sowohl in diesem als in jenem Fall, wo die Füße und der Steiß schon gebohren sind, den gewöhnlichen Haken in die Brust
einsetzen, und mit selbem etwas aufwärts ziehen,
indem man mit der andern Hand an einer Achsel,
an einem oder beyden Armen, oder Füßen, was
immer außer der Scham sich befindet, zugleich und
und so stark als man kann, anziehet. Gehet dieses auch nicht an: so muß man alsdann die Eingeweide der Brust durch die mit dem Haken gemachte
und vorher weiter aufgerissene Oeffnung, wie es immer möglich ist, mit denen dahinein geschobenen

Fin-

Fingern einer Hand heraus zu nehmen, nach diesem die Brust durchzuziehen trachten.

Sollte der Bauch wind oder wassersüchtig seyn:
so muß man ihn mit einem langen verborgenen
Troicart, den man auf seiner linken Hand bis an
den Bauch hinein führet, anbohren; er mag demnach zuerst in die Geburt eingetreten und eingepreßt,
oder von denen Beckenbeinen, mit dem Kopf oder
denen Füssen voran, in seinem Durchgang aufgehalten seyn: genug ist es, wenn er dergestalten
groß ist, daß man das Kind auf keine andere Art
heraus zu bringen vermögend ist. Der Stich ist
an und für sich selbsten gar nicht tödtlich, unterdessen sterben doch die meisten Kinder eine Zeit darauf.
Das Heft des Troicarts muß man merklich abwärts
halten, besonders wenn der Kopf, oder die Füße
schon gebohren sind, und der Bauch in seinem
Durchgang stecken bleibet, damit man nicht die
Spitze desselben schief aufwärts, sondern gerade
an dem Bauch andrücke, und hiemit gehörig die
Anzapfung mache. Man wartet so lang, bis fast
alles Wasser ausgeflossen, oder jene elastische Luft,
die den Bauch des todten und schon faulenden Kindes so auftreibet und gählings mit einem unerträg-
lichen Gestank herausstürmet, durch die Scham
hervor gedrungen, und hiemit der Bauch zu-
sam-

sammen gefallen ist; alsdann ziehet man das Kind
heraus.

Sollte das Becken so außerordentlich eng seyn,
daß man kaum eine Hand zwischen dem Vorberg
und den Schambeinern hineinschieben, viel weniger das übel eingetretene Kind durch die Wendung herausbringen könnte: so wird die Zerschnei-
dung des Kindes im Mutterleibe und die Heraus-
nehmung desselben stückweise eben auch nicht das
Leben der Mutter retten. Diese Operation ist
erstlich für den Geburtshelfer sehr schwer, und
für die Mutter, die es angehet, äußerst schmerzhaft: zweytens darf man sie nicht ehender unternehmen, bis nicht die untrüglichsten Zeichen des
todten Kindes erscheinen, die man aber nicht ehender als nach Verlauf etlicher Tagen bemerket.
Was stehet die Frau nicht unterdessen aus? Ihre
Geburts- und nebenliegende Theile werden erbärm-
lich gequetschet, sonderlich aber wird die Gebährmutter übel zugerichtet, entzündet, theils von der
anfangenden Fäulung des Kindes, die man nicht
sogleich verspüret, angestecket und die Frau in die
tödtlichste Schwachheit versetzet. Wer wird es wohl
wagen, diese Operation zu unternehmen, die Unglückselige so unleidentlich zu martern, und anstatt
sie zu retten, ihr die letzten Augenblicke ihres Lebens

bens unerträglich zu machen, ja vielmehr zu ver-
kürzen. Durch den zeitlich gemachten Kaiserschnitt
hätte man noch einen Schein der Hoffnung haben
können, vielleicht beyde zu erhalten.

Ein seltnes Beyspiel, wenn eine Frau noch
mit dem Leben davon kommet, der man das Kind
zertrümmert weggenommen hat; vielleicht war das
Becken nicht so gar eng, und mehr die Größe und
Ungestaltheit des Kinds oder zusammen gewachsene
und schon abgestorbene Zwillinge die Ursache. Wenn
man nur an die Ausziehung des Kopfs gedenket:
so ist es kaum möglich zu glauben, daß die Frau,
trotz aller gefährlichen Folgen, noch erhalten werden könne.

Es ist noch ein Fall, in welchem mein Haken
gute Dienste leistet; wenn nämlich der eingetretene
Kopf, oder der Leib einer unzeitigen vier, fünf,
oder sechs monatlichen todten Frucht durch den Eingang des Beckens unmöglich durchgehen kann, weil
er zwischen dem Vorberge des Heiligenbeins, und
der Vereinigung der Schambeine so außerordentlich
eng ist, daß man nicht einmal die halbe, noch weniger die ganze Hand zwischen diesen Beinen, um
die Frucht herauszuziehen, hinein zu bringen im
Stande ist. Hier wäre es unverantwortlich den
Kaiserschnitt, welchen einige dießfalls anrathen,

zu

zu unternehmen, um die Mutter von der todten
Frucht zu befreyen, die man doch eben auch, aber
mit mehrerer Mühe auf folgende Art durch den natürlichen Weg herausschaffen kann, ohne die Mutter in die augenscheinliche Gefahr des Todes zu versetzen: man bringe nemlich den Zeig- und Mittelfinger seiner in die Scheide gebrachten linken Hand
bey dem rechten Darmbein der Frau, so weit als
es möglich ist, in den Muttermund hinein, und
untersuche seine Lage; hierauf schiebe man mit der
rechten Hand den Haken, mit der gewöhnlichen Behutsamkeit, ebenfalls bis an den eingetretenen Kindestheil hinein, in welchen man ihn alsdann vermittelst der Finger, die ihn leiten, einsetzet; nunmehro trachte man theils mit denen Fingern, theils
mit dem Haken den vorgekommenen Theil zu zerreissen, und hiemit die Frucht stückweis heraus zu
ziehen. Ich versichere, daß man auf diese Art,
ohne Beyhülfe eines andern Instruments, gewiß
seinen Zweck erreichen wird.

Sechs-

Sechstes Kapitel.

Von dem Gebährmutterbruch.

Unter die vielen Hinderniſſe, die eine Geburt hart und öfters gefährlich machen, muß man auch die Brüche rechnen, mit welchen einige Frauen behaftet ſind: eine vollkommene Beſchreibung dergleichen Brüche, und dießfalls angezeigte Hülfleiſtung findet man in dem Werke betitelt: Nouvelle Methode d'operer les Hernies, par Mr. Leblanc. Man ſolle ſie noch vor der Geburt zurück bringen, und um deren Rückfall zu verhindern einen tauglichen Verband anlegen; ſonſt könnte die Einſperrung denſelben entweder während, oder nach der Geburt eine Entzündung, welcher der Brand auf dem Fuß nachfolget, verurſachen, und die Kindbetterinn dahin reiſſen.

Zum

Zum Glück aber höret man gar selten was von einem Gebährmutterbruch. Jahrhunderte vergehen, in welchen unzählbare Frauen glücklich und unglücklich gebähren, wie es ihr Schickſal mit ſich bringet, darunter kaum eine iſt, die ihre Frucht in einem ſolchen Bruchſack trägt. Doch es iſt geſchehen, und kann noch geſchehen, daß man eine ſolche außerordentlich ſeltne Geburt zu behandeln hätte; derohalben iſt es nothwendig, daß man von der wahren Beſchaffenheit und Erkenntniß dieſes Bruchs ſich einen vollkommenen Begriff mache, wie auch die Umſtände einer ſolchen Geburt, und die ächte Hülfleiſtung ſich vorzuſtellen wiſſe, die aber nicht im Kaiſerſchnitt beſtehet, den die älteren Schriftſteller und Geburtshelfer in dieſem Fall theils ſelbſt gemacht, theils vorgeſchrieben haben, und welchen auch die neueren und alle Geburtshelfer unſeres Zeitalters insgeſammt als das einzige Rettungsmittel noch bis auf dieſe Stunde anrathen.

Wenn die Gebährmutter entweder vor oder nach geſchehener Schwängerung durch den Bauchmuskelring herausdringet, ſo wird es ein Gebährmutterbruch genannt. Die nächſte Urſach iſt allezeit die allzuſtarke Erweiterung des Bauchmuskelrings, den der vorwärtsfallende Grund der ſchwangern Gebährmutter noch weiter ausdehnet, je mehr

ſie

sie selben durch ihre Schwere drücket, und so lang
presset, bis sie ihn endlich völlig überwunden hat,
und sich gänzlich außer demselben befindet.

Nur jene Weiber, glaube ich, bekommen diesen Zufall, welche einen veralteten Leibschaden haben, und noch überdieß ihre Arbeit mit vorwärts-
gebogenem Leib verrichten müssen. Je mehr die be-
schwängerte Gebährmutter vermög ihrem Wachs-
thum sich ausdehnet, desto sichtbarer wird dieser
Bruch: die Geschwulst wird von Zeit zu Zeit grösser, und hänget über das Schambein bis auf den
Schenkel hinab: man bemerket sehr deutlich die
Bewegung des Kinds in dieser Geschwulst; und
wenn man die inneren Geburtstheile untersuchet,
so wird man den Hintertheil der Mutterscheide so
nach vorwärts über das Schambein gezogen finden,
daß man den forschenden Zeigfinger unmöglich nach
rückwärts bringen kann, sondern nach vorwärts
über das Schambein, mehr rechts oder links wohin
ihn die Mutterscheide führet, biegen muß, und doch
kaum den Muttermund erreichet.

Wenn man zeitlich gerufen wird, da die Geschwulst noch nicht so groß ist: so wäre das rath-
samste die Gebährmutter zurückzubringen, und,
um den Rückfall zu verhüten, einen schicklichen
Verband anzulegen; man muß aber vorhero den

Bauch-

Bauchmuskelring und den ganzen Bruchsack zu er-
weichen, alsdann erst die Einrichtung vorzunehmen trachten. Wenn man aber erst in den spätern
Monaten der Schwangerschaft diesen Gebährmutterbruch bemerket: so ist an die Einrichtung des
Bruchs nicht mehr zu gedenken; man muß die Zeit
der Geburt erwarten, und nach der Beschaffenheit
des Bauchmuskelrings, und Umständen der Geburt
auch die gehörigen Maßregeln treffen. Unterdessen
muß die Schwangere den Bruchsack immer in einer
Binde tragen, und, wenn die Geschwulst schon sehr
groß ist, sich gar zu Bette legen. Die Geburt
kann niemals natürlich erfolgen: das Kind kann
nicht anderst als durch die Wendung gebohren werden. Jetzt kommt es nur darauf an, ob der Bauchmuskelring eben so wie der Muttermund sich öffnet, erweitert ist, damit man, um die Wendung
zu machen, die Hand in die Gebährmutter bringen könne.

Wenn man durch die Befühlung wahrnimmt,
daß der Bauchmuskelring genugsam erweitert ist,
und der Muttermund sich geöffnet hat: so lege man
die Gebährende auf ihre Hände und Knie, fährt
alsdann mit der Hand von hinten durch die Mutterscheide und den Muttermund in die Gebährmutter hinein, sprenge die Wasserblase, und ziehe hie-

mit

mit das Kind bey den Füssen heraus. Damit aber
die in dem Bruchsack enthaltene Gebährmutter, indem sich die Frau auf ihre Hände und Knie stützet,
nicht so abwärts hange, und die Wendung des
Kinds verhindere: so solle man einige mit Roßhaar
angefüllte Pölster unterlegen, damit der Bruchsack
mehr horizontal liege. Auf diese Art wird man
noch am besten, wie ich glaube, sowohl das Kind
als die Nachgeburt herausnehmen, und hiemit die
Geburt vollenden können. Die Gebährmutter ziehet sich hierauf allmählich zusammen, und kehret
von sich selbsten wiederum durch den Bauchmuskelring in ihr bestimmtes Lager zurück, oder man
bringet sie durch die Einrichtung in die Beckenhöhle
hinein, und versorgt sodann den Bruch. (Vielleicht
hatte die Hebamme Sennerts, die sich nicht mehr
vertheidigen kann, eben so viel Geschicklichkeit zu
wenden als jene des Ruysch gehabt; weil sie aber
ihre Hand unmöglich durch den engen Raum bringen konnte: so mußte sie wohl dem Rathe Sennerts folgen, der keinen bessern wußte, als durch
den Kaiserschnitt die Gebährende entbinden zu lassen, die bald darauf gestorben ist.)

Wenn aber der Bauchmuskelring so zusammengezogen und der Weg durch denselben dergestalten
eng wäre, daß man unmöglich, um die Wendung
zu

zu bewerkstelligen, eine Hand durch den zwar geöffneten Mund in die Gebährmutter zu bringen im
Stande wäre: so halte ich dafür, man solite lieber
den Bauchmuskelring, der den einzigen Widerstand
ausmachet, wie bey der Operation eines eingesperrten
Bruchs durch den Schnitt hinlänglich erweitern,
die Wunde bestens und geschwind versorgen, und
alsdann auf erstbemeldte Art das Kind durch die
Wendung herausbringen, als den Kaiserschnitt machen, der doch weit gefährlicher ist, da die Erweiterung des Bauchmuskelrings nicht einmal gefährlich ist, so groß man auch die Wunde machet.

Es ist wahr, die Operation wird hart und
mühsam seyn, ich begreife es gar wohl, weil der
Bauchmuskelring sehr tief zwischen dem Bauch und
dem Bruchsack lieget. Man muß zuerst mit einem
krummen und nicht geraden Bistourie die allgemeinen Bedeckungen wie gewöhnlich spalten, alsdann
mit einer stark gekrümmten verborgenen Bistourie
die Erweiterung des Bauchmuskelrings machen,
und auf die aufsteigende Schmerbauchpulsader Obacht haben.

Doch ich will nicht gänzlich läugnen, daß man
den Kaiserschnitt machen müsse, weil sich vielleicht
andere Hindernisse ereignen können, die ich aber
nicht errathen kann. Wenn ein Geburtshelfer eine
der-

dergleichen Gebährende vor sich hätte: so soll er nur
nach Recht und Gewissen handeln; er solle sich nur
in Sinn kommen lassen, wie schmerzlich der Kaiserschnitt für die Mutter, die ihn auszustehen solle,
und wie ungewiß desselben Ausgang sey; er wird
sich wohl bedenken, denselben eben so herzhaft zu
unternehmen, als wie man ihn leichtsinnig mit dem
Munde anrathet.

Nach der Geburt leget man die Frau mit dem
Hintern sehr hoch in das Bett, damit die sich zusammenziehende Gebährmutter zurückkehren, und
sich in ihr rechtmäßiges Lager begeben könne.

Ei-

Siebente Kapitel.

Von der Schambeintrennung.

Diese Operation hat diese Jahre her sehr viel
Aufsehen gemacht und viele Gegner und Verthei=
diger gehabt. Ich bin keineswegs gesonnen, alle
Argumenten für und wider selbe anzumerken: man
findet viele Bücher voll davon, und sie werden kei=
nem Kunstverständigen unbekannt seyn.

Ich meinerseits glaube, daß sie selten anwend=
bar, und viel versprechend ist. Dann der Schaden
ist öfters viel erheblicher als der Nutzen, den man
hoffet. Doch ist sie nicht ganz wegzuwerfen. Aber
daß man sie an die Stelle des Kaiserschnitts setzen,
und diesen ganz abgeschaffet wissen will, ist die
größte Albernheit, die jedem Kunstverständigen und
erfahrnen Geburtshelfer aufstoßet.

Da=

Damit ich aber den Fall, in welchem ich sie, aber nicht ohne Beschränkung, als anwendbar betrachte, bestimmen kann, ohne mich mit der theoretischen, und praktisch fast unthunlichen Kopf- und Beckenmesserey abzugeben, so muß ich alle Fälle, in welchen, bloß allein bey einer sonst natürlichen Lage des Kopfs, die Entbindung durch eine oder die andere Instrumentaloperation bewerkstelliget werden muß, genau auseinander setzen, und Deutlichkeit halber in Grade eintheilen.

Im ersten Grad, wenn der Kopf eines zeitigen und gut gelagerten Kinds bey guten anhaltenden Wehen, und Kräften der Gebährenden, welche nach dem Verhältniß derselben gehörig mitarbeitet, zwar langsam jedoch immer nachrücket, den Muttermund vollends erweitert, die Blase nicht zu frühe sprenget, und endlich mit seiner Scheitelgeschwulst bis zur äusseren Scham herabkömmt, obgleich schon 15 bis 20 Stunden verflossen sind, so scheinet das Becken etwas weniges enger, oder der Kopf etwas größer zu seyn: oder wenn auch beyde verhältnißmäßig sind, so können die Suturen des Kopfs verwachsen, oder die Beckenknorpel bey einer alten Erstgebährenden verbeinert seyn; es giebt auch noch andere Ursachen mehr, welche bis auf diese Zeit die Geburt verlängern.

Steidele Geburtsh. IV. Thl.   H   Hier

Hier langet die wohlthätige Natur, wenn man sie nicht kränket, gewiß allein aus: nur wird die Mutter mehr ermüdet, und das Kind nicht so gleich frisch und munter seyn. Ohne einen anderen unvermuthet dazu kommenden gefährlichen Zufall findet hier kein Instrument Statt.

Im zweyten Grad, wenn der Kopf mit seiner Grundfläche bey vollkommen erweitertem Muttermund, starken und anhaltenden Wehen nach 24 Stunden noch immer im Eingang stecket, und sehr langsam nachrucket, da doch die Gebährende herzhaft nachdrucket: hier ist die Zange vortrefflich und ohne weiteres Bedenken anzulegen: jedoch nicht darum, weil ohne dieser die Geburt nicht erfolgen könnte, welche nach etlichen Stunden gewiß erfolgen würde, wenn die Wehen und Kräfte anhielten; sondern theils um die Mutter zu schonen, theils auch das Kind zu retten, welches durch die längere Dauer sterben könnte.

Im dritten Grad. Wenn der Kopf nach 20 Stunden beträchtlichsten Theils noch immer im Eingang stecket, unmerklich nachrucket, der Muttermund noch nicht ganz verschwunden ist, und die innere Scham anschwillt. Wenn man in diesem Falle hoffen dürfte, daß der Kopf bald den Mund vollkommen erweiterte, und in die Beckenhöhle her-

herabruckte, so wollte ich nachhero die Zange anrathen; weil aber dieß nicht sobald geschehen mithin die Zange bey diesen Umständen nicht angeleget werden kann: so ist also hier, meiner Meinung
nach der Fall, in welchem die Schambeintrennung, (wenn sie nicht andere Umstände widerra-
then) um das sonst unwiderbringlich verlohrne Kind
beym Leben zu erhalten, vorgenommen werden
dürfte. Geschieht dieß aber nicht: so muß man
warten, bis der Kopf des bisdahin absterbenden Kinds
nach vielen Stunden erst den Muttermund vollends
überwunden hat, und tiefer in die Beckenhöhle herabgekommen ist: alsdann wird die Geburt mit der
Zange vollendet. Die Gebährende stehet in diesem Fall sehr viel aus, und wird ohne gefähliche
Folgen im Kindbett kaum durchkommen. Wenn
man aber die Schambeintrennung macht, so gestehe
ich zwar selbst, daß die Folgen während und nach
derselben noch bedenklicher sind: aber die Mutter
hat doch Hoffnung davon zu kommen, und der Preis
für ihr Leiden ist die Erhaltung ihres Kinds. Wenn
diese Operation unter günstigen Umständen vorgenommen, und das Kind mit der äussersten Behutsamkeit und langsam durchgezogen wird: so könnte
man sich noch immer einen erwünschten Erfolg versprechen. Wie viele werden verunglücket, wenn

H 2

man

man gar zu lange wartet (Die Entzündung der
Gebährmutter und die Folgen der verletzten Blase
und die Fäulniß des verstorbenen Kinds hinterlassen oft traurige Wirkungen, welche nicht minder
als jene sind, die von der Schambeintrennung zu
entstehen pflegen. Doch ist dieses auch wider wahr,
daß diese Letztere viel ehender einen chronischen Zustand zurück lassen können, welcher nicht unbilli-
germassen zu fürchten ist, und folglich jedem Geburtshelfer die Unternehmung der Schambeintrennung abschrecket.

Im vierten Grad, wo der Kopf bey stärkern Wehen, und unaufhörlichen Kreißen nach 24
Stunden noch immer mit seinem Drittheil erst im
Eingang stecket, den Eingang ganz anfüllt, und
fast gar nicht mehr nachrücket: wie auch der noch
nicht ganz erweiterte Muttermund sammt der Scheide zu schwellen und trocken zu werden anfängt: hier
scheinet das Becken sehr eng, oder der Kopf sehr
groß zu seyn. In diesem Falle wäre die Schambeintrennung äusserst schädlich, weil bey der Durchziehung des Kinds unstreitig alle Beiner des Beckens von einander getrennet, die Harnblase ausgedehnet, und gequetschet, und die Bänder wohl
gar zerrissen werden könnten. Hier wäre vielmehr
der Kaiserschnitt als das mindere und sowohl für
                                        die

die Mutter als dem Kinde weniger gefährliche Uebel anzurathen. Geschieht dieß nicht, so muß man wohl 60 ja noch viel mehrere Stunden mit einem Wort so lange warten, bis der Kopf durch die äusserste Macht, mit Verlust aller Kräften, tiefer in die Beckenhöhle herangerücket und von der unläugbaren Fäulniß angegriffen ist. Alsdann wird die Aushirnung vorgenommen, und endlich mit der Zange der traurigen Geburt ein Ende gemacht. Ich sage eine traurige Geburt, weil es wohl selten geschieht, daß eine davon kömmt, und dann bleibt sie ihre ganze Lebenszeit elend.

Den fünften Grad habe ich in dem Kapitel vom Kaiserschnitt genau beschrieben. In diesem Grad ist der Kaiserschnitt das einzige Rettungsmittel, und schließt alle übrige Hülfsmittel aus. Die Operation der Schambeintrennung wird auf folgende Art gemacht.

1) Wird der Katheter den Harn abzuzapfen eingeführt.

2) Ein oder ein paar Klystiere gesetzt.

3) Die Gebährende wird auf einem schmalen Bett, wie gewöhnlich, aber ganz nieder auf ihren Rücken geleget; der Hintern wird durch eine untergelegte Matraze erhöhet, und die Füsse müssen längst dem Bette gerade, aber etwas voneinander aus-

ausgestrecket liegen, damit man sowohl zum Unterleib, als auch zur Scham frey und ungehindert zukommen kann.

4) Die Haare müssen von der Gegend der Scham-
knochenvereinigung vorhero abgeschoren werden.

5) Nun wird die Haut und Fetthaut 2 Zoll über
die Schamknochen bis auf das weibliche Glied,
(Clitoris) welches man auf eine Seite hinüber
drücket, sammt der oberen Vereinigung der grossen Schamlippen mit einem gewöhnlich kleinen
Scalpel gespalten.

6) Hierauf trennet man das Schambeinband entzwey, und schneidet alsdann mit einem starken,
und scharfschneidenden Messer, dessen Schneide
gewölbt, und der Rücken nicht dick seyn muß,
den Knorpel der Schamknochen langsam und vorsichtig durch, damit man weder nach aufwärts
die Blase, weder nach rückwärts hinter dem Schamknochen die Mutterscheide und Harnröhre verletze.
(Die von einigen vorgeschlagene kleine Säge wird
wohl meistens ausbleiben dürfen, weil sie selten
vollkommen verbeinert sind, und durch den in
der Schwangerschaft immer zufliessenden Schleim
ziemlich weich und nachgiebig gemacht werden.)

7) Die Gebährende wird jetzo quer über das Bett
gelegt, und ihre Füsse müssen sehr langsam und

xur

nur so viel auseinander gehalten werden, damit der Geburtshelfer zwischen ihren Füssen Platz genug habe das Kind herauszuziehen.

8) Hierauf wird vermittelst der behutsam angeleg- ten Zange der Kopf ganz langsam, indem die Frau, so viel sie kann, mitarbeitet, heraus, und der übrige Leib nachhero mit den Händen durchgezogen. Man rathet vorsichtig und sehr langsam zu ziehen, wie auch die Füße nicht so weit auseinander zu ziehen, damit theils die Bla- se nicht so heftig gezerret, und die knorplichte Vereinigung der Darmbeiner mit dem heiligen Beine nicht getrennet wird, woraus die gefähr- lichsten Folgen entstehen könnten.

Die Wunde wird durch kleine Pflaster vereini- get, und darüber eine Kompresse geleget. Die Schenkel werden mit einem Serviet zusammenge- bunden, und die Kindbetterinn muß auf ihrem Rücken mit etwas nach aufwärts gebogenen Knien, damit der Kindbettfluß ungehindert ausfließen kann, gele- get werden, und in dieser Lage standhaft verbleiben.

Die Zufälle, welche wohl öfters diese Opera- tion begleiten, sind äusserst bedenklich: Es kann sich nähmlich eine Entzündung an der Gebährmutter, Mutterscheide, Harnblase, oder rückwärts an den Muskeln und Bändern der Darmbeine und des

hetheiligen Beins äußern, welche Lebensgefahr drohet.

Die sehr unangenehmen Folgen, welche oft Monate und nicht selten Jahrelang, ja wohl Lebenslänglich zurückbleiben, sind der unwillkührliche und immerwährende Harnfluß, und das Unvermögen gerade, frey und ungehindert gehen zu können. Das erste Uebel kommt von der zu starken Ausdehnung und darauf erfolgten Erschlappung des Blasenhalses, und das zweyte von der nicht erfolgten Wiedervereinigung der Scham- und Darmbeinknochen und denen gleichfalls übel hergenommenen Kreuz- und Sitzbeinbändern her.

Mursinnac's rathet diese Operation an, wenn der Kopf dergestalten zwischen den Sitzbeine stecket, daß die Zange nicht eingebracht werden kann: (hier würde sie meiner Meinung nach, wohl zu spät vorgenommen werden.) Wenn ich den geringen Vortheil und den großen Schaden von dieser Operation gegen einander halte, so fällt meine Meinung dahin aus, dieselbe niemals vorzunehmen.

Achte

Achtes Kapitel.

Von dem Kaiferfchnitt.

Wenn man die Wände der Bauchhöhle einer Hochschwangern mit oder ohne die Gebährmutter durchschneidet, und durch diese gemachte Wunde das Kind todt oder lebendig herauszehet: so nennet man es den Kaiferschnitt. Dieser ist zweyfach, Gastrotomia oder der Bauchschnitt, wenn man bloß allein den Bauch ohne die Gebährmutter eröffnet, und dieß geschieht in 3 Fällen: 1) wenn ein zeitiges, lebendiges auffer der Gebährmutter liegendes Kind durch die Bauchwände seinen Ausgang sucht; 2) oder ein todtes ebenfalls auffer der Gebährmutter liegendes Kind durch eine örtliche Eiter- oder Brandgeschwulst durchbrechen will, oder 3)

daffeldaſſelbe iſt durch die zerriſſene Gebährmutter in die Bauchhöhle gedrungen: dann die Hyſterotomia, oder der Bauch = und Gebährmutterſchnitt, wo man beyde zugleich aufſchneidet.

Woher dieſe Operation den Urſprung ihrer Benennung habe, und ob die Geſeze erlauben, ſelbe an einer lebendigen vorzunehmen, will ich gar nicht unterſuchen, nachdem ſchon ſo viele berühmte, ja die erfahrenſten Männer ihre Meinung darüber erkläret haben. Es kommet nur auf den Willen der Frau an, die es betrifft; wenn man ihr die gänzliche Unmöglichkeit der Geburt vorſtellet, ſie der ſchuldigen Erhaltung ihres Lebens erinnert, das ſonſt verlohren iſt: wenn man ihren nicht un= gegründeten Zweifel über den gut oder böſen Aus= gang dieſes unleidentlich ſchmerzhaften Schnittes mit der Meinung Hippocratis und Celſi, daß ein zweifelhaftes Mittel allzeit beſſer ſey, als gar keines, beſtreitet: wenn man endlich ihre äußerſt beſtürzte und faſt bis zur Verzweiflung ge= brachte Seele durch Erzählung glücklicher Beyſpiele zu tröſten, und das beklemmte Herz durch einen Schein der Hoffnung wieder zu beleben ſuchet: ſo glaube ich, es werde wenige geben, die ſich nicht entſchließen, dieſe Operation auszuhalten.

Un=

Unterdessen ist diese Operation doch außerordentlich schmerzhaft, gefährlich, und noch über das ungewiß, besonders wenn das Kind in der Gebährmutter lieget, die man nothwendig zerschneiden muß. Die vielfältig unglücklich abgelaufenen Versuche haben viele veranlaßet, diese Operation als eine grausame, sowohl den göttlichen als menschlichen Gesetzen zuwiderlaufende und hiemit unerlaubte Handlung auszuschreyen, weil sie den tödtlichen Ausgang derselben theils der großen Wunde der Gebährmutter, die sie als ein sehr empfindliches Eingeweide betrachteten, theils auch der großen Blutstürzung zuschrieben. Doch sind wiederum andere, dieselbe, wie es auch billig ist, noch heut zu Tage vertheidigen.

Die Durchschneidung der allgemeinen Bedeckungen der Bauchhöhle wird niemand für tödtlich halten; man weiß auch, daß die Gebährmutter mit gutem Gewissen zerschnitten werden könne. Die Verblutung ist eben auch nicht so gefahrvoll, weil sich nach herausgezogener Frucht und Nachgeburt die Gebährmutter zusammenzieht, und die blutenden Gefäß verengert; man muß nur Obacht haben, daß nicht zu viel Blut in die Höhle des Bauchs komme, und dieses theils durch die Lage, theils durch andere Wege aus derselben fortgeschaffet werde.

be. Man macht auch ohnehin die Operation erst
dazumal, wenn die Gebährmutter zur mechanischen
Verrichtung der Geburt sich anschicket, und den
Muttermund erweitert; damit das Blut und Waſſer
durch ſelben ausflieſſen, und die Gebährmutter nachhero ſich zuſammen ziehen könne.

Wenn alſo die Wände derſelben ſich nähern,
ſo muß auch nothwendig die Wunde mit ſelben ſich
zuſammenziehen; die Gefäße müſſen zuſammenge-
drücket und geſchloſſen ſeyn, welches nachhero keinen Blutſturz mehr befürchten läßt. Die Gebährmutter beſtehet aus einer ſehr reizbaren Subſtanz,
ſie muß ſich alſo viel geſchwinder zuſammenziehen,
je mehr ſie durch die Wunde gereizet worden.

Wenn man die Operation dazumal machet,
da noch Kräfte vorhanden, und die Geburtstheile
in der beſten Beſchaffenheit ſind, ſo wird ſie auch
ſeltener unglücklich ablaufen. Aber leider! es iſt
nur zu bedauren, daß man ſo ſpät dieſelbe vorzunehmen gerufen wird; da ſchon alle Kräfte erſchö-
pfet und die Geburtstheile verwüſtet ſind! In einem ſolchen Fall wäre es verwegen, wenn man die
Unglückſelige, die man unmöglich mehr retten
kann, in ihren lezten Stunden noch mißhandelte!
man würde auch den tödtlichen Ausgang nur dem
der dieſe Operation verrichtet hat, zur Laſt

legen

legen, und ihn einer unmenschlichen Grausamkeit beschuldigen.

Die Erfahrung beweiset auch, daß der Kaiserschnitt mit glücklichem Erfolg gemacht werden könne: man findet sehr viele Beweise glücklich erhaltener Frauen, die diese Operation nicht einmal, sondern öfters ausgestanden haben: man lese nur den ersten Theil der Akademie der Wundarzney, Heistern, Levret und andere Authoren mehr. Es ist wahr, daß einige doch daran sterben müssen; unterdessen muß man ihn doch allezeit machen, weil keine andere Hülfe vorhanden ist. Was würde das für eine Grausamkeit seyn, die Mutter sammt ihrem Kind sterben zu lassen, da man wahrscheinlicher Weise Hoffnung hat beyde zu retten. Was nützet das, wenn man aus dem Leichnam der entseelten Mutter, die man halb verzweifelnd hat sterben lassen, das Kind herausschneidet, das sich meistens schon vorhero im Mutterleibe zu Tod gezappelt hat; außerordentlich wenige wird man nach dem Tode der Mutter lebendig finden.

Wenn man in der Zeit, und mit aller Vorsicht den Schnitt machet: wenn man die gehörigen Vorbereitungen machet, und nach den Regeln der Kunst mit der nöthigsten Geschicklichkeit denselben unternimmt: so wird man allzeit aus dreyen

ge-

gewiß zweyen ihr Leben erhalten: man solle nur auf die Umstände und Zufälle, die sich währender Operation, oder nach derselben ereignen, wohl Obacht haben.

Der Kaiserschnitt wird also an Lebendigen und Todten gemacht. Drey Fälle sind, in welchen man ihn an lebendigen Frauen vorzunehmen pflegt: Erstens: Wenn das Becken so eng ist, daß man kaum und nur mit der beschwerlichsten Mühe eine Hand in die Gebährmutter hinein, aber mit sammt denen Füßen, wenn man das Kind wegen seiner übeln Lage wenden sollte, nicht wieder heraus, oder gar keine Hand hineinbringen könnte, oder das Kind ist bey einem etwas engern Becken außerordentlich groß. Zweytens: wenn das Kind wie ich schon oben gesagt, in der Muttertrompete, in einem Eyerstocke, oder in der Beckenhöhle lieget. Drittens: Wenn das Kind durch die währender Geburtsarbeit zerrissene Gebährmutter gedrungen, und gänzlich in die Höhle des Bauchs gefallen ist.

Die Religion und die Gesetze verbinden uns auch das Kind, welches noch leben könnte, alsobald durch den Kaiserschnitt aus dem Leichnam einer plötzlich verstorbenen gebährenden Weibsperson heraus zu holen.

Die

Die Pflicht einer Hebamme soll sie erinnern alsobald einen Geburtshelfer, oder in Ermanglung dessen einen Wundarzt rufen zu lassen, welcher augenblicklich nach erfolgten tödtlichem Hintritt dieser Unglücklichen den Kaiserschnitt vornehmen, und das Kind, wenn es anderst annoch lebet, dadurch retten soll. Dieß gilt auch bey allen sterbenden Schwangern, ohne Unterscheid der Zeitrechnung ihrer Schwangerschaft und Krankheit, an welcher sie stirbt. Findet man bey der Befühlung des Muttermunds denselben offen, wie es meistentheils, bey Gebährenden besonders, wahrgenommen wird, so soll man alsogleich die gespannte Blase sprengen, und nach herausgelassenem Wasser das Kind nothtaufen, weil es doch außerordentlich selten seine Mutter überlebet, und nach dem Schnitt fast allzeit todt, folglich der heil. Taufe unfähig befunden wird. (Sie soll aber wegen der Ungewißheit doch mit Bedingniß gegeben werden.)

Leider ist zu bedauren, daß dieser Gebährmutterschnitt meistens fruchtlos abläuft. Sollte dann gar kein Mittel vorhanden seyn, wenigstens einige Kinder zu retten? Ich erinnere mich gelesen zu haben, daß ein Kind 2 bis 3 Stunden im Leibe seiner verstorbenen Mutter auf die fühlbarste Art sich beweget, und herumgezappelt hat, und endlich wegen
gen

gen Mangel der Hülfe gestorben, und mit seiner
entseelten unglücklichen Mutter begraben worden ist.
Wie hat nun dieß Kind so lange leben können? hat
es vielleicht, nach vorhero abgelaufenem wahren
Kindswasser, durch den geöffneten Muttermund
Luft bekommen, und, obgleich ängstlich geathmet?
Schlechterdigs kann man doch nicht den Zutritt der
überall eindringenden Luft in die Gebährmutterhöhle abstreiten, welche hiemit das Kind auf eine
kurze Zeit erhalten könnte; obgleich die Betrachtung der starken Zusammenziehung der Gebährmutter um das Kind, und dessen öfters unschicklichen
Lage dazu dieser Meinung wenig Glaubwürdigkeit
beyzumessen scheint. Es ist noch vieles in der Natur verborgen, was wir nicht wissen, oder nicht
begreifen. Versuche dieser Art kann man ja machen; wenn sie nicht nützen, so schaden sie doch
nicht. Der Gegenstand ist allzuwichtig; es lohnt
wohl der Mühe. Vormals hat man den sterbenden schwangeren und gebährenden Frauen den Mund
aufgespreitzt, damit das Kind Luft bekomme, (ver-
zeihlicher Irrthum voriger Zeiten) wie wäre es,
wenn man nach vorhers gesprengter Wasserblase,
und angebrachter heil. Taufe, eine ziemlich weite
Röhre in die Mutterscheide bis an den geöffneten
Muttermund hineinsteckte, und durch die Ueberschla-

gung

gung der Bettdecke am Fuße des Bettes den Zutritt der Luft noch mehr befördert. Man könnte
auch die Luft in der Mutterhöhle von Zeit zu Zeit
mit einer Spritze oder einem kleinen Blasbalg vermittelst einem durch die in der Mutterscheide stecken-
den Röhre bis an den Muttermund gebrachten ledernen Schlauch erneuern und erfrischen. Auf diese Art hoffte ich einige Kinder erhalten zu können;
nur muß der Kaiserschnitt, so bald als es möglich
ist, nach dem Tode vorgenommen werden. Wenn
man die löbliche Absicht desselben überdenket, so scheinet
keine Einwendung dagegen Statt zu haben. Was
soll man nicht alles thun, wenn es auf die Erhaltung eines Menschen ankömmt. Ich überlasse einsichtsvollen, wohlmeinenden, und erfindungsfähi-
gern Kunstverständigen das Urtheil über diese Frage. Finden sie diesen Versuch unthunlich, so wün-
sche ich, daß sie sich eines Bessern nachzudenken bemühen möchten; die Menschheit wird ihnen dafür
Dank wissen:

Ich werde also alle 4 Fälle, jeden insbeson-
dere anmerken, und die in jedem Fall angezeigte
Operation beschreiben.

149

An einer Lebendigen ist der erste Fall: wenn das Becken so ausserordentlich eng ist, daß man kaum und nur mit der beschwerlichsten Mühe eine Hand in die Gebährmutter hinein, aber mit sammt denen Füßen nicht wieder heraus, oder gar keine Hand hinein bringen könnte, oder der Muttermund sammt oder ohne der Mutterscheide, ist ausserordentlich verhärtet, verwachsen, und dergestalten übel beschaffen, daß durch keinen Schnitt an denselben der Weg hinlänglich erweitert werden könnte, das Kind ist ausserordentlich groß.

Hier muß man nicht nur allein die Wände der Bauchhöhle, sondern auch die Gebährmutter selbsten durchschneiden, und alsdann das Kind herausnehmen. Die Regeln, welche man vor der Operation zu beobachten hat, und nach welchen man den Schnitt zu machen sich verhalten muß, sind folgende.

1) Zum vorausgesetzet, daß man diese Operation niemals mache, es sey denn dieser Fall zugegen; man muß das Becken vorhero wohl untersuchen, und die Unmöglichkeit der Geburt gewiß be=

beſtimmen können. Man muß ſie auch nicht gewaltſam, ſondern mit dem Willen der Frau unternehmen, die man beſtens vorbereiten und ihr Muth
machen muß. Man ſolle vorhero noch einen oder
zwey Geburtshelfer, und einen oder auchzwey geſchickte Aerzte, wie auch einen erfahrnen Wundarzt zu
Rathe ziehen, mit ihnen die Sache gemeinſchaftlich
überlegen, und ſich um das Wohl der leidenden Frau
(in der beſten Einigkeit) berathſchlagen: ſie ſollen bey
der Operation gegenwärtig ſeyn, und dem Operator
und der Frau den erforderlichen Beyſtand leiſten.
Die Frau muß man vor allen erinnern, und ſie
dahin bewegen, vorhero ihr zeitliches Geſchäft zu
machen, und ſich mit Gott zu vereinigen.

2) Die Bereitung der Inſtrumente, und anderer nöthigen Sachen ſollen unterdeſſen den Operator beſchäftigen. Man brauchet eine Biſtourie mit
einer gewölbten Schneide, die allgemeinen Bedeckungen zu durchſchneiden: Herr Levret giebt uns
einen Abriß von einem, bloß allein zu dieſem
Schnitt, verfertigten Meſſer: ſiehe im 308 Blatt
des zweyten Bands ſeiner Wahrnehmungen: allenfalls auch eine hohle Sonde, was aber die Finger
noch beſſer verrichten: eine krumme Nadel mit einem langen Faden, die aufſteigende Schmerbauchspulsader zu unterbinden, wenn ſie zerſchnitten

worden wäre, was aber selten sich zuträgt, (es
müßte nur aus einem Spiel der Natur diese Pulsader über den bezeichneten Ort des Schnitts hinauf laufen) man brauchet etliche Schwämme das
Blut einzusäugen; eine Scheere die Nabelschnur
abzuschneiden, und Bandel zum Unterbinden: ein
Glas reines Wasser, die noch lebende Frucht zu
taufen; einen Geist, die ohnmächtig werdende Mutter und auch das todtschwache Kind zu sich zu bringen: vier kleine schmale Binden, die Glieder wegen
der Verblutung zu unterbinden: eine Dinte und
Feder, den Ort des Schnitts zu bezeichnen, warm
Wasser und Wasser und Wein, Kohlenfeuer: man
muß auch die Nadeln und Faden zu der Bauchnath
und die Heftpflaster, wie auch Charpie und die Vereinigungsbinde sammt den Compreßen bereiten.

3) Die Lage, so man der Frau giebt, muß
auf dem Rücken in einem schmalen Bette seyn,
welches man also richtet, daß die hülfleistenden
Personen auf allen Seiten beykommen, und ihr
bestimmtes Amt verrichten können: sie muß sich
mehr auf die eine Seite legen, damit der Ort, an
dem man den Schnitt machen will, mehr erhoben
sey: man läßt sie sowohl an dem Kopf und Armen,
als auch an denen Füßen von einigen Gehülfen
halten.

4)

4) Den Urin zu lassen, muß man sie vorhero erinnern, oder ihn mit einem Katheter abzapfen: wie auch den Koth durch ein ihr beygebrachtes Klystier aus den Gedärmen schaffen.

5) Hätte die Frau eine Leber-oder Milzverhärtung: so müßte man sie auf diese Seite legen, um auf der gesunden Seite den Schnitt machen zu können. Wenn sie aber mit einem Bruche behaftet wäre: so müßte die Operation an eben dieser Seite gemacht werden wodurch verhindert wird, daß die schwere Gebährmutter nicht auf diese bruchartige Seite hinfalle, und hiemit die angespannten Gedärme drucke.

6) Man solle sich nicht ehender anschicken die Operation zu machen, als bis schon der Muttermund durch die Wehen erweitert worden: damit das Kindswasser nachhero sammt dem Blut durch den geöffneten Mund ausfließen könne. Man muß auch nicht zu lange warten, sonst springet die Blase mit dem wahren Kindswasser, welches, wenn es noch vorhanden ist, einigermaßen nutzet, indem es die Wände der Gebährmutter ausgedehnt erhält, und hiemit das Kind von dem Messer, das die Gebährmutter durchschneidet, schützet. Man muß aber den Schnitt dazumal viel größer machen, weil sich selbe alsobald nach gesprengter Wasserblase

zu-

zusammen ziehet, und hiemit die Wunde, durch welche man das Kind ziehen muß, verengert. Sind aber die Wasser schon vorhero durch die Scham abgegangen: so muß man nur den Schnitt so groß machen, als er nach der Größe des Kindes, das man aber alsogleich nach geschehenem Schnitte herausnimmt, nöthig zu seyn scheinet.

7) Wenn man Zeichen hat, daß die Nachgeburt an ein oder der andern Seite angewachsen sey, (was aber sehr schwer zu erkennen ist) so solle man, den Schnitt zu machen, die entgegengesetzte Seite wählen; ist sie an den Grund angewachsen: so muß man, aus eben dieser Ursache wegen der stärkern Verblutung, nicht zu hoch, und nahe bey dem Grund hinauf schneiden.

8) Der Ort, den man zum Kaiserschnitte bestimmet, muß mit einer Dinte gezeichnet werden. Herr Levret und Bertrandi haben ihn also beschrieben. „Man bilde sich eine Linie ein, die von „ vorne hinterwärts schief gezogen wäre, so daß „ sie bey dem vordern Ende des obern Randes des „ Darmbeins anfienge, und zu der knorplichten „ Vereinigung der letzten wahren Rippen gienge; „ die Linie, welche von dieser und der weißen Bauch- „ linie in gleicher Entfernung seyn wird, ist der „ eigentliche Ort des Schnitts. Man ziehet also

„diese

„ diese Linie ein wenig gegen den Schamberg und
„ an der Seite des geraden Muskels herunter,
„ den man schonen muß, indem man der geraden
„ Richtung seiner Fasern folget.

Nunmehro machet man die Operation, wie
sie Herr Levret und Bertrandi beschreiben, auf
folgende Weise. Man durchschneidet die allgemeinen
Bedeckungen und Muskeln des Bauchs mit dem
nämlichen Bistourie, das eine gewölbte Schneide
hat, sehr vorsichtig und langsam damit man die
Gebährmutter nicht zu frühe verletze, welche die
durch die Schwangerschaft sehr ausgedehnte und dün-
ne Wände nahe berühret; man schneidet alsdann
sehr langsam fort, bis man auf das Darmfell gekommen ist, welches durch einen kleinen Schnitt
ebenfalls geöffnet werden muß; in diese Oeffnung
führe man eine hohle Sonde, um sie nur so viel
zu erweitern, daß man alsdann seinen Zeig - und
Mittelfinger der linken Hand als einen Wegweiser
hineinbringen, die Bedeckungen aufheben und die
innern Theile damit bedecken kann; hierauf schneide
man so lange fort, bis die Bedeckungen und Muskeln wenigstens bis 7, 8, auch 9 Zoll lang geöffnet sind; der Schnitt muß etwas weniges unter
dem Grund der Gebährmutter angefangen, und
über die Schamgegend geendiget werden. Ber-

tran-

trandi fährt hierauf weiter fort, nämlich: nach
„ geöffnetem Bauche pflegen die Gedärme und Netz
„ von dem hintern und obern Theile der Gebähr-
„ mutter vorwärts gegen die Wände zu kommen:
„ man soll sie zurückhalten, indem man auf den
„ obern Winkel der Wunde zwey oder drey Finger
„ ansetzet, und selbe mit der flachen Hand bedecket:
„ hernach muß die Gebährmutter auf einer Seite
„ ihrer vordern Wände durchschnitten werden, doch
„ daß man der Trompete, Eyerstock, und dem
„ runden Mutterbande sorgfältig ausweiche; der
„ obere Winkel des Schnittes, den man in die Ge-
„ bährmutter machet, soll einen Querdaumen nie-
„ driger seyn, als der Schnitt der Bedeckungen;
„ man schneide abwärts fort, doch muß der untere
„ Winkel der Wunde, welche man in die Bede-
„ ckungen macht, etwas höher seyn, als jener in
„ die Gebährmutter. Wenn die Gebährmutter
„ vier und einen halben Daumen lang zerschnitten
„ ist, (dieser Schnitt wird wohl kaum hinlänglich
„ seyn) so wird es genug seyn; denn dieses ist
„ meistens der größte Durchmesser des Kopfs der
„ Frucht. Dieser Schnitt muß in einer gleichen
„ Linie, und mit großer Sorgfalt in die Gebähr-
„ mutter gemacht werden, damit man mit dem
„ Messer nicht an den Leib der Frucht komme;

„ein

„ ein Gehülfe solle die Lippen der äußersten Wun-
„ de von einander halten, und der Wundarzt oder
„ Geburtshelfer den Zeigefinger seiner rechten
„ Hand längst der Wunde der Gebährmutter hin-
„ ein führen, und untersuchen, ob die Häutel noch
„ ganz sind, die man mit den Nägeln zerreisset.
„ Dieß ist die Beschreibung dieser Operation nach
„ der Methode des geschickten Berrandi, welche
„ bisher angewendet worden.

Die Größe des Schnitts muß verhältnißmäsig
mit der Größe des Kindskopfs seyn: ist das Kind
zeitig, so muß der äußere Schnitt 9 Zoll lang seyn:
gehet ein Monat in der Zeitrechnung ab; so machet
man selben nur 8 Zoll lang. Man muß sich also
den Schnitt nach der Zeitrechnung der Schwangerschaft einrichten.

Neu-

Neuere Methode.

Nach welcher in der Mitte des Bauchs vom Nabel angefangen bis gegen die Schambeinvereinigung die ganze Bauchwand sammt der weissen Linie aufgeschnitten, und hiemit vorwärts die Gebährmutter eröffnet wird. Diese Methode ist den vorhergehenden oder dem Seitenschnitt aus folgenden Gründen weit vorzuziehen: 1) Hier wird die zurücklaufende Schmerbauchspulsader (arteria epigastrica) nicht verlezet, die Gedärme fallen auch nicht so leicht vor, als wie aus der geöffneten Seite des Bauchs: 2) Vorwärts werden auch keine so große Gefässe durchgeschnitten, als wie an den Seitentheilen der Gebährmutter, in welchen nur gar zu oft die Nachgeburt ihren Sitz hat. 3) Kann das in die Bauchhöhle ergossene Blut, wie auch das Eiter leichter ausfliessen. 4) Die Vereinigung der äus-

äussern Wundlefzen kann auch viel bequemer und besser bewerkstelliget werden. 5) Die Narbe wird an diesem Ort viel dauerhafter seyn, den andringenden Gedärmen mehr widerstehen, und folglich nicht so leicht einen Bauchbruch, wie in der Seite veranlassen.

Diese Operation ist doch nicht ohne Gefahr: man kann die Blase verletzen, der Urin ergiesset sich in die Bauchhöhle, und die Patientin ist unwiderbringlich verlohren. Um dieß Unglück zu verhüten, läßt man durch einen Gehülfen nach ausgelassenem Urin den Katheter in der zusammengezogenen Blase festhalten. Der Geburtshelfer soll alsdann bey der Erweiterung der Bauchwunde nach abwärts mit einem das Messer leitenden linken Zeigfinger den Katheter durch den Blasengrund zu entdecken suchen, um derselben mit dem Messer nicht zu nahe zu kommen.

Die Operation wird auf folgende Art gemacht. Man schneidet die Haut zwey Daumen breit unter dem Nabel bis ebenfalls zwey Daumen breit über die Schambeine durch, trennet die Fetthaut und schneidet alsdann am obersten Winkel dieser äussern Wunde, die weiße Linie sammt dem Bauchfell auf einen halben Zoll breit auf: hierauf stecket man den Zeigfinger der linken Hand in die Bauchhöhle,

höhle, und öffnet unter der Leitung dieses Fingers die weiße Linie sammt dem Bauchfell nach der Richtung der äußeren Wunde bis an den untersten Winkel, indem ein Gehülfe mit seinen zwey flachen Händen neben dem Nabel den Bauch gelinde zusammen drücket, damit der Ausfall der Gedärme verhindert wird. Hierauf wird der Gebährmutterschnitt nach der ersten oben schon beschriebenen Methode vorgenommen, wie auch alles Uebrige ebenfalls auf die nämliche Art genau befolget. Wenn man hiemit die Gebährmutter vorwärts aufschneidet, so werden auch die Eyerstöcke und Muttertrompeten verschonet bleiben. Unterdessen könnte es sich treffen, daß eine Verhärtungs oder Bälgleinsgeschwulst, Bauchbruch oder ein anderes Uebel diesen Schnitt an der weißen Bauchlinie unmöglich machte: in diesem Fall müßte man wohl nach der alten Methode den Seitenschnitt vornehmen; derohalben habe ich sie in dieser Auflage nicht weglassen wollen, ob sie gleich der Neueren und viel besseren weit nachstehen muß. Sollte die Gebährmutter nach der rechten oder linken Seite vollkommen schief stehen: so müßte man theils durch die Lage der Gebährenden, oder vermittelst den Händen eines Gehülfen dieselbe vorhero in die Mitte bringen: wäre dieß nicht gut zu bewerkstelligen, so

müß-

müßte der Schnitt ein Paar Querfinger breit von der Bauchlinie auf dieser Seite, nach welcher die Gebährmutter zuliegt, vorgenommen werden. Dann sie muß jederzeit in der Mitte ihrer vorderen Fläche geöffnet werden. Alsdann öffnet man die Wasserblase mit einer Scheere, und fährt mit der Hand ganz langsam in die Gebährmutterhöhle hinein, und untersuchet die Lage des Kindes; man ergreifet es, wie man kann, bey dem Kopf oder bey den Füßen, welches noch am leichtesten, und am öftesten geschiehet, weil meistens die Kinder mit ihrem Kopf nach abwärts zum Muttermund gelagert, und die Füße nach aufwärts gegen den Grund der Gebährmutter gekehret sind; man drehet und wendet das Kind von einer Seite auf die andere, bis man es gänzlich herausgezogen hat; man taufet es sodann, und trachtet selbes, so viel als möglich ist, zu sich zu bringen, weil die auf diese Art gebohrne Kinder meistens schwach sind; man kann es auch im Mutterleibe taufen, wenn man bemerket, daß sich selbes gar nicht beweget. Ist der Kopf gegen den Grund der Gebährmutter gelagert: so dringet er alsogleich durch die gemachte Gebährmutterwunde hervor: man ergreife jezo das Kind unter den Achseln und hebe es heraus. Hat das Kind eine Querlage, so suche man die Füße. Man unterbindet nachhero

die

die Nabelschnur, und übergiebt das Kind den Gehülfen, die es schon zur Erholung bringen und bestens versorgen werden. Man löset hernach so geschwind als es möglich ist, die Nachgeburt ab, ziehet selbe heraus, und trachtet das Blut zu stillen,
indem man mit abgewechselten feinen Schwämmen
die Lippen der Wunde reiniget, und hiemit verhindert, daß wenig oder gar kein Blut in die Höhle
des Bauchs komme. Man muß auch sorgfältig
Obacht haben, daß keine Gedärme in die Höhle der
Gebährmutter kommen, die sich nunmehro gewaltig
zusammenziehet, die blutenden Gefäße verengert, und
die gemachte Wunde schließet.

Was ich aber hauptsächlich erinnern muß, ist
dieses, daß man die Wunde der Gebährmutter nur
nicht zu klein mache, weil die Zusammenziehung
derselben, die sehr plötzlich und heftig geschiehet,
das Herausziehen des Kindes sehr schwer machet:
denn man laufet Gefahr die Wunde noch mehr
aufzureissen, (wie es zum Beyspiel an der Urinblase geschehen kann, die man zu klein geöffnet hat,
und hiemit den Stein nicht herausbringet) oder
man muß die Wunde mehr erweitern, und das
Kind kann auch während diesen zu Grund gehen. Eine starke Verblutung darf man auch nicht besorgen,
weil sich die Gebährmutter alsogleich zusammenziehet,

het, das übrige Blut fließet alsdann durch den Muttermund weg: und wenn auch etwas Blut und Kindswasser in die Bauchhöhle gekommen wäre: so wird man eben so wenige Zufälle zu befürchten haben, indem es durch die Lage der Frau, welche man auf die verwundete Seite mit der Brust etwas höher leget, gar leicht aus dem untersten Ende der Wunde, das man mit einer Wieke lange genug offen hält, ausfließen, oder durch Einspritzung balsamischer Wundtränke flüßig gemacht, und ausgespület werden kann. Es wird auch etwas von denen Adern eingesogen.

Man heftet sodann die Lippen der allgemeinen Bedeckungen mit Heftpflastern, leget eine Compreße darüber, und befestiget alles mit der Vereinigungsbinde. Besser ist es die Bauchnath mit den dazu bestimmten Nadeln zu machen, weil die Lippen nicht zusammen halten, und nachhero Bauchbrüche zu befürchten sind. Uebrigens besorget man die Kindbetterinn wie eine andere Person, die sehr gefährlich verwundet worden, und äußerst entkräftet ist. Die Wunde heilet man wie eine andere Bauchwunde. Man muß aber die Wunde reiner und fleißiger verbinden, damit nicht die verwundete Kindbetterinn eben so übel als jene geheilet werde, von welcher uns la Motte in seiner Abhandlung der

Chir-

Chirurgie aus dem Französischen übersetzet auf der 51. Seite des vierten Theils folgendes erzählet.

„ Wenn diese Frau, die noch lebet, ihre monatliche Zeit bekommt, so öffnet sich bey dem „ geringsten Antrieb der Adern die Narbe, die, „ wie gesagt, nur ein schwammiges Fleisch ist, so„ wohl als die Mutter selbst, indem sich die allzu„ vollen Adern von dem überflüßigen Geblüte zu „ entledigen suchen, so daß der ordentliche Abgang „ des Bluts durch die Mutterscheide fließt. Nicht „ nur dieses gehet durch diese Narbe, sondern was „ noch zugleich diesen Weg nimmt, ist noch wun„ derbarer. Bey dieser Frau geht auch der Stuhl „ durch diesen Ort, wie durch den Hinterleib, „ und kommen auch oft noch Würmer heraus, wie „ zu der gefährlichsten Zeit der Heilung. Dieses „ dauerte 5, 6, bis 7 Tage, alsdann verlohren „ sich diese Zufälle drey Wochen lang, nach wel„ chen sie sich alle wieder einstellen: und dieß fehl„ te fast niemals, bis die zunehmenden Jahre sol„ che endigten.

An einer Lebendigen ist der zweyte Fall, wenn das Kind in einer Muttertrompeten, in einem Eyerstock, oder in der Höhle des Beckens lieget.

Wir haben viele Beyspiele der sogenannten Bauchschwängerungen, deren Ausgang glücklich oder unglücklich war. Bey einigen hat sich die Frucht nach ihrem Tode mit der Muttertrompeten oder dem Eyerstock, wo sie gelegen hat, verhärtet, und sie haben diese Geschwulst viele Jahre, andere Zeit ihres Lebens ohne sonderliches Ungemach herumgetragen. Man weiß auch, daß sich die abgestorbene Frucht in seinem Wasser nach und nach aufgelöset, und eine Sackwassersucht hervorgebracht hat. Wenn man dieser Wassergeschwulst halber einer Gewißheit hätte: so könnte man, anstatt der gemeinen Anzapfung, durch einen Schnitt viel ehender das dicke eiterhafte Wasser, und die Knochen der Frucht herausschaffen. Bey andern hat sich die Natur durch ein formirtes Geschwür geholfen: man hat entweder die Eitergeschwulst, die sich am Bauch sehr deutlich gezeiget hat, aufgeschnitten, oder die Natur hat sich durch den Mastdarm selbsten einen Weg gemacht, und die Knochen des verfaulten Kindes mit einer Menge stinkenden Eiters ausge-

Steidele Geburtsh. IV. Thl.　K　stos-

stossen; und die Frauen sind mit dem Leben davon
gekommen.

Wenn aber die Frucht, die außer der Gebährmutter in einem oder andern dieser Theile lieget,
mehr und mehr anwachset, und zu einer gewissen
Vollkommenheit gelanget, sich immer stärker beweg-
get, und hiemit untrügliche Zeichen seines Da-
seyns giebt: so siehet es gefährlich aus. Wenn
die Zeit der Geburt herankommet, so entstehen starke
aber mehr schneidende Wehen, das Kind beweget sich
heftig: man fühlet die innern Geburtstheile unver-
ändert, und den Muttermund geschlossen. Wenn
denn diese Schmerzen und die andringende Gewalt
der Frucht lange anhalten, so zerreisset endlich das
Behältniß, welches die Frucht einschliesset, das
Kind bricht durch und fällt in die Höhle des Bauchs
die unglückliche Mutter bemerket diese innerliche
Zerreißung, wird ohnmächtig und stirbt. Wenn
man gewiß überzeuget wäre, daß eine solche widernatürliche Schwangerschaft das Leben der Mutter
auf diese Art in Gefahr setzte: so wäre ja, um die
Mutter zu retten, kein anders Mittel übrig, als
gerade über die Geschwulst, wo sie am erhobensten
ist, die Wände des Bauchs auf oben angezeigte
Art zu durchschneiden, und die Frucht heraus zu
nehmen; aber die höchst gefährliche, öfters gar un-
mög-

mögliche Ablösung der Nachgeburt, die sich nach
dem Zeugniß einiger Schriftsteller an verschiedenen
Orten der Beckenhöhle, an die äußere Fläche Gebährmutter, ja sogar an die Eingeweide des Unterleibs an-
heftet (was mir aber unbegreiflich scheinet, indem
die Frucht außer der Dupplicatur des allgemeinen
Bauchfells, das nur zerreissen müßte, lieget:) läßt
keinen guten Ausgang hoffen; denn die erweiterten
Gefäße, an welchen die Nachgeburt gehangen hatte, können sich unmöglich so, wie jene der Gebährmutter zusammenziehen, dahero entstehet eine immerwährende innerliche Verblutung, die nur mit
dem Tod aufhöret; oder wenn man die Gefahr zu
vermeiden, die Nachgeburt darinnen ließe, wie
könnte man wohl hoffen, daß eine gute, mäßige
und zureichende Eiterung erfolgen werde, welche
die Nachgeburt ablöste, und auf diese Art aus
dem Leibe der Frau schaffte? ja wenn die Nachgeburt allezeit hinter dem Bauchmuskelringe, oder an
einem andern nahen nichts bedeutenden Theil sich
befände, wie sie Govei, der uns dieses einzige
glückliche Beyspiel schriftlich hinterlassen hat, siehe
Bertrandi Blatt 64, gefunden hatte, so dürfte
man sich weniger bedenken, diese Operation zu unternehmen. Zum Glück sind diese Bauchschwängerungen sehr selten, (noch seltner aber wird aus erst-

K 2   be-

bemeldten Ursachen der Ausgang derselben glücklich
seyn. Meiner Meinung nach dürfte niemals die
Rede von dieser Operation vorkommen, weil eine
solche unglückliche Schwangere viel ehender stirbt,
als man eine solche Schwangerschaft nur vermuthet.

An einer Lebendigen ist der dritte Fall, wenn
das Kind durch die, während der Geburtsarbeit, zerrissene Gebährmutter gedrungen, und gänzlich in die Höhle des Bauchs
gefallen ist.

Daß die Gebährmutter unter der Geburt zerreissen könne, hat man traurige Beweise genug; aber wenige oder gar keine hat man, daß die Mutter mit
dem Leben davon gekommen sey. Ursachen können
viele theils von Seiten der Mutter, theils auch
von Seiten des Kindes seyn, die dieses schreck-
liche Uebel hervorbringen; die widernatürliche Enge, Steiffigkeit und nicht hinlängliche Erweiterung
des Muttermunds, oder desselben Verwachsung
und Verhärtung, die üble Bildung, die zu starke,
oder wegen dem Seitensitz der Nachgeburt ungleiche
Ausdehnung und Verminderung der Gebährmutter,
oder wenn sich selbe immerwährend und mit ver-

mehr-

mehrter Gewalt über das Kind zusammenziehet, das doch vermög seiner übeln Lage, oder Größe wenig oder gar nicht vorrücket. Von Seiten des Kindes: der zu große, oder eingekeilte Kopf: wenn das Kind besonders dick und stark, oder übel eingetreten ist, wie auch, wenn es, aus was immer für einer Ursache, im Mutterleibe mit Convulsionen befallen wird. Aeußerliche und noch andere Ursachen sind: die zu starke Erschütterung des Unterleibes, ein starker Fall auf den Bauch, ein gewaltiger Druck, Geburttreibende Arzneyen, und die geschäfftigen Hände der Hebammen; am öftesten aber wird sie durch das gewaltsame und selten nothwendige Zurückschieben des eingetretenen Kindstheiles zerrissen, wie ich es schon in meinem Unterricht für Hebammen öfters angemerket habe.

Der Ort der Zerreißung ist verschieden: es ist kein Punkt in der Gebährmutter, welcher nicht dieser Trennung ausgesetzet ist; man hat sie an verschiedenen Orten, doch am öftesten am Hals, wo sie sich mit der Mutterscheide verbindet, zerrissen gefunden: dieser Ort scheinet gegen dem Verhältniß der übrigen Theile der Gebährmuter viel dünner zu seyn; und um so mehr und eheuder kann dieser Theil zerbersten, je stärker die Gebährmutter nach

ge-

gesprengter Wasserblase, (denn so lang die Wässer
noch nicht verflossen sind, kann sie wohl nicht zersprenget werden, weil deren Widerstand die eigenthümliche Wirksamkeit derselben noch etwas zurück-
hält) sich zusammenziehet, und auf das Kind drucket, dessen Kopf alsdann den Mutterhals so stark
quetschet, und noch mehr verdünnert, daß er endlich durchgedrucket wird. Die Zerreissung des Muttermunds geschiehet öfters; theils seine üble Beschaffenheit, die Größe oder üble Lage des Kindes,
und eine äußerlich angebrachte Gewalt, und das
Anstrengen zur Geburtsarbeit im Kreißstuhl können
die Ursachen seyn; (Herr Professor Lebmacher hat
beobachtet, daß der Muttermund einer ledigen hochschwangern Weibsperson, die schon gewendtes Kind
hatte, von einem gewaltigen Stoß auf den untern
Theil des Rückens dergestalten zersprenget worden
sey, daß er von vorn nach rückwärts wie gespalten
anzufühlen war; und eine starke Verblutung erfolget sey). Die mehr oder wenigere Gefahr hänget
einzig und allein von dem Ort, der getrennet wird,
von der Beschaffenheit der Wunde, von der Ergies-
sung des Bluts in die Höhle des Bauchs, und der
Veränderung der Lage des Kindes ab; denn wenn die
Gebährmutter weiter oben, nahe oder an dem Grund
selbsten, und an dem Siz der Nachgeburt berstet;

wenn

wenn der Riß groß und schief oder wohl gar über
quer geschiehet; wenn endlich viel Blut auf einmal
in die Bauchhöhle sich ergießet, oder durch die
Scham herausstürzet, und das Kind mit dem halben oder ganzen Leib durch diese widernatürliche
Oeffnung dringet: so muß ja nothwendiger Weise
der Tod bald darauf erfolgen, wenn man nicht
alsogleich das Kind durch den Schnitt herauszunehmen trachtet. Ist aber der Geburtshelfer oder
Wundarzt gleich dazumal zugegen? und wenn er
auch gleich diesen Augenblick einträte, hat er Herz
genug diesen Schritt zu wagen? wird er nicht vielmehr über diesen tragischen Auftritt erschrecken,
und ehender die Frau sterben lassen, als seine Ehre
durch diese Operation, deren unglücklichen Ausgang er leicht vorsehen kann, auf das Spiel
setzen?

Diese Art der Zerreißung ist also gemeiniglich
für die Mütter tödtlich; und die Bevorstehung der-
selben zeitlich genug zu erkennen, ist blos allein der
Weg zu ihrer Rettung. Die Kennzeichen dieses be-
vorstehenden tödtlichen Zufalls sind ein Glück unsers
Zeitalters, denn man findet weder diese noch eine
Anzeige zur frühzeitigen Hülfleistung in den ältern
Authoren angemerket.

Diese

Diese Zeichen sind von der größten Wichtigkeit, weil sie in der ersten Periode der Geburt dieses Unglück vorhersagen. Man kann das Kind entweder wenden, wenn es noch über dem Eingang stehet, (hier muß man sich möglichst hüten, den eingetretenen Theil zurückzuschieben, um leichter zu den Füssen zu gelangen; man solle lieber nach meiner Art einen Fuß suchen, ihn anschlingen, und alsdann mit der außenher befindlichen Hand langsam anziehen, indem man mit der andern den noch in der Gebährmutter liegenden Fuß ergreifet, und zu gleicher Zeit so lang und ganz langsam anziehet, bis das Kind sich endlich umgewendet, und die Füsse vor der Scham sind: auf diese Art wird die Gebährmutter nicht noch mehr angespannet) oder man ziehet den schon in die Beckenhöhle herabgerückten Kopf mit der Zange heraus, wie ich es sammt diesen Vorhersagungszeichen in dem 3. Abschnitt des 2. Kapitels schon angemerket habe.

Die Kennzeichen der schon zerrissenen Gebährmutter sind folgende: die Umstehenden hören einigemal die Zerplatzung, welche die Frau noch besser empfindet, und vor Schmerzen in Ohnmacht sinket — sie kommet wieder zu sich und glaubet sich besser zu befinden — das Kind, welches nunmehro sich freyer bewegen könnte, ruhet, — die Wehen hören auf

auf, — es fließet mehr oder weniger Blut aus der
Scham — der Bauch erhebet sich und wird mehr
breit — man fühlet die Gliedmaffen des Kindes viel
deutlicher durch die Wände des Bauchs — sie bekommt den Schlucken, Erbrechen, kurzen Athem
eine besondere Angst Ohnmächten mit abwechseln-
den Convulsionen — sie bestrebet sich noch mit ge-
brochener Stimme, mit den Augen und Händen
ihre Angst und den Ort der Zerreißung anzuzeigen
— es kommen die Zeichen des Hinscheidens, sie
wird blaß, sie siehet und höret nicht mehr, der
Puls wird klein und aussetzend, die Stimme bricht,
der kalte Schweiß dringet durch den ganzen Leib,
sie fällt in die Ohnmächten — bis endlich die Convulsionen die sinnenlose Unglückselige auf immer da-
hinreißen, und hiemit diesem höchsttraurigen
Schauspiel ein Ende machen.

Herr Professor Kranz, in seinem schätzbaren
Commentario de rupto in Partus doloribus a
Fœtu Utero. Pag. 24. warnet uns sehr weißlich,
daß man aus der Erscheinung einiger dieser
Zeichen nicht alsogleich die Gebährmutter
zerriffen zu seyn glauben, und! hiemit diefes
grausame Hülfsmittel ergreifen solle: die
Gefahr bestehe öfters nur in der blossen Furcht,
weilen 1) das Kind bey einer natürlichen Geburt

eini-

einigemalen die Gebährmutter ohne selbe zu durch=
reißen, also in die Länge ziehet und ausdehnet,
daß sie durch die Zusammendrückung den Magen
aus seiner Lage rücket, 2) das im Mutterleibe ster=
bende Kind schlägt ebenfalls gewaltig an die Wände
der Gebährmutter an, was blos eine Wirkung der
Convulsionen ist, 3) wenn die Nabelschnur im Mut=
terleibe zerreißt, so zittert und schlägt das Kind
eben so herum, der Bauch fängt an zu geschwellen,
und die Mutter lieget gewaltig betroffen, und äus=
serst kraftlos da, wie Herr Levret einen dergleichen
Fall gesehen hat.

Wenn man dann aus diesen erstbemeldten
Zeichen die Gebährmutter zerrissen zu seyn bemer=
ket: so muß man hauptsächlich auf die Lage des Kin=
des Obacht haben; fühlet man den Kopf zwischen
den Beinern des Beckens, so muß man alsobald die
Frau mit Hülfe der Zangen entbinden; hat das
Kind eine widernatürliche Lage, so muß man es
alsobald durch die gemachte Wendung bey den Füs=
sen herausziehen. Wenn man mit der in die
Gebährmutter gebrachten Hand fühlet, daß das
Kind schon bis auf die Hälfte durch den Riß in
die Höhle des Bauchs gedrungen ist: so muß man
es wieder zurück hinein und endlich bey den Füssen

durch

durch den ordentlichen Weg auf das geschwindeste
herauszziehen.

Wenn man aber die Gebährmutter zusammen-
gefallen, den Bauch anderwärts erhoben, den Muttermund leer und auch in der Höhle der Gebährmutter keinen Kindestheil mehr findet: so ist das
Kind ganz und gar in die Bauchhöhle hinausgefal-
len; hier wird schleunige Hülfe, so ungewiß sie
auch ist, erfordert. Man durchschneide mit uner-
erschrockner Hand die allgemeinen Bedeckungen, die
Muskeln und das Bauchfell wie sonsten, und ziehe
sodann das Kind heraus: übrigens verfährt man
wie oben schon gesagt worden. Es ist nur dieser
Unterschied, daß in diesem Fall das Kind die Gebährmutter durchreißet, in jenem aber das Messer
dieselbe durchschneidet. Man erwartet anjetzo zwischen Furcht und Hoffnung, was das Schicksal
und zwar gar bald entscheidet; die meisten sterben
alsogleich: einige leben doch noch bis auf den zweyten oder dritten Tag, nachdem die Verblutung sehr
häufig oder minder ist: (in meinen Beobachtungen
von der Zerreissung der Gebährmutter habe ich ein
Beyspiel von einer Frau angeführet, welche acht
Tage nach diesem geschehenen Unglück erst gestorben
ist.)

Der

Der löbliche Gebrauch, der aus einem Trieb der Religion und den heilsamen Gesetzen entspringet, verbindet uns auch den Leichnam jeder verstorbenen Schwangern zu öffnen, um das Kind wenn es noch lebet, taufen und erhalten zu können. Ungeachtet daß man sich gar außerordentlich selten über den Anblick des annoch lebenden Kindes erfreuen darf: so muß man doch jede, und zwar alsogleich nach ihrem Tode öffnen, und das Kind herausnehmen, aber nicht sechs, zwölf oder mehrere Stunden warten, wie es geschehen ist, und leider noch geschiehet. Man muß aber den Schnitt an den nämlichen Ort und mit eben der Behutsamkeit machen, als wie ich ihn bey einer Lebendigen vorzunehmen gelehret habe; weil es sich zutragen kann, wie es Vesalio solle begegnet seyn, daß die Frau aus einer sehr ungewöhnlichen Ohnmacht, (Asphyxia) die sie todtscheinend vorstellet, plötzlich erwachet, es wird den Geburtshelfer oder Wundarzten alsdann nicht gereuen, den Schnitt vorsichtig und nach denen aus dieser Ursache vorgeschriebenen Regeln gemacht zu haben; man solle also keineswegs durch einen Kreuzschnitt, wie man einen Kadaver öffnet, die Wände der Bauchhöhle durchschneiden. Ist die Frau gählings todtscheinend dahin gesunken, so soll man

man vorhero eine Stunde hindurch kein Mittel unverſucht laſſen, dieſelbe zu erwecken.

Dieſe ſind die drey einzigen Fälle, wo man den Kaiſerſchnitt an einer Lebendigen unternehmen darf; alle übrige Fälle, in welchen man vormals ganz unverantwortlich den Kaiſerſchnitt machte, erfordern eine ganz andere Hülfleiſtung, die aber auch für die Mutter ſehr unangenehm und ſchmerzhaft, aber doch nicht ſogar gefährlich iſt.

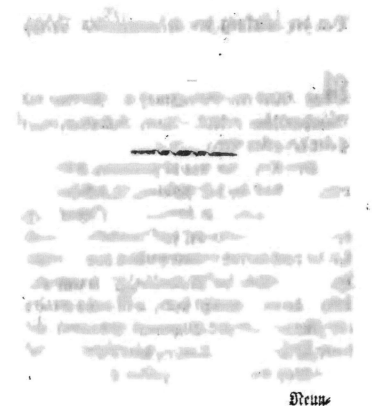

Neun

Neuntes Kapitel.

Von der Wirkung des Roonhuysischen Hebels.

Nun folget die Betrachtung der Wirkung des Roonhuysischen Hebels. Dieses Instrument ist ein Hebel der ersten Art.

Der Fall, wo man es gebrauchen will, ist, wenn der Kopf bey dem Ausgang sich befindet. Die Anlegung geschiehet auf folgende Art: Man leget die Frau wie sonsten auf das Querbett; alsdann bringet man die rechte Hand zwischen dem Kopf und der linken Seite der Mutterscheide, so weit man kann, hinein; hierauf stecket man dieses vorhero mit Butter oder Fett beschmierte Instrument auf seiner in die Scham gebrachten hohlen Hand hinein, und endlich bis über den grossen Ausschnitt des

Darm-

Darmbeins an den Seitentheil des Kopfs hinauf; von da schiebet man es mit der rechten Hand, die man wieder zurück- und herausziehet, zwischen dem Kopf und den Geburtstheilen der Frau nach vorwärts zu der Vereinigung der Schambeine, indem man es also beweget, als wenn man, gleichwie mit einem Messer, ein in der linken Hand gehaltenes Stück Holz spalten wollte; während diesen muß man es auch einigemal wechselweis herabziehen, und wieder hinaufschieben, als wenn man sägen wollte. Wenn denn der Hebel auf diese Art gehörig an das Hinterhaupt des Kindskopfs angeleget worden, und dieser vollkommen gut in die Aushöhlung desselben passet: so erwartet man eine Wehe und drucket es alsdann durch die wenige und behutsam gemachte Aufhebung des außer der Scham befindlichen Endes, das man mit der rechten Hand hält, an den Kopf des Kindes; in der Zwischenzeit zweyer Wehen rastet man. Eben so wiederholet man diesen Druck, wenn wieder ein Wehe kommt, und hebet den Hebel mehr in die Höhe, je näher der Kopf hervorrucket, indem die Frau aus allen Kräften mitarbeitet; diese Arbeit muß man so lange fortsetzen, bis der Kopf gebohren ist. Die Mitte des Hebels wird an die Vereinigung

der

der Schambeine, die ihm zum Ruhepunkte dienen, angeleget.

Einige wollen den zu dem heiligen Bein oder anderwärts, auf = und schief stehenden Kopf damit einrichten; wo ist aber der Ruhepunkt, wider welchen man ihn stützet? soll ihn etwann die linke Hand abgeben? eben also verhält es sich mit den Seitenschiefstehungen des Kopfs auf einem Darmbein; ein Blatt der Zange wird ihn leichter herableiten, weil es mehr gekrümmet ist; der Hebel soll nach der Meinung des Erfinders niemals angeleget werden als nur allein dazumal, wenn der Kopf mit dem Hinterhaupt bey den Schambeinern gerade, und nahe bey dem Ausgang stehet; denn wenn er noch im Eingang sich befindet: so wird man vielmehr den Kopf an das entgegengesetzte Bein andrucken, und seinen Lauf verhindern, als denselben zur Geburt befördern. Es mag demnach was immer für eine Ursache seyn, die den Kopf aufhaltet, wenn er nur auf diese Art gerad und nahe bey dem Ausgang stehet: so rathet er dieses Instrument zu gebrauchen. Ursachen, die den Kopf aufhalten, sind mehrere: der engere Ausgang des Beckens — der Widerstand des Steißbeins — Abgang der Wehen. — Wenn die unteren Ränder der Schambeine den Kopf zurückhalten — oder die um den Hals gewickelte,

ckelte, und zu kurze Nabelschnur denselben immer
zurückziehet. Der scheinbare Nutzen dieses Instruments bestehet nur in diesem, daß es den Muttermund presset, wie auch den Kopf von den Schambeinen weg, und dieser hinwiederum das Steißbein drucket; dadurch entstehet ein neuer Reiz,
welcher die schwachen Wehen vermehren, oder die
gänzlich verlornen zurückrufen solle: dazu wird aber
erfordert, daß die Frau aus allen ihren Kräften
mitarbeite; wenn aber diese fehlen: so wird der
Hebel wenig helfen; denn einen Kopf, auch ohne
Beyhülfe der Mutter, aus der Scham gleichsam
herauszupressen, ist fast nicht möglich: er müßte
nur zum Theil schon vor der Scham herausstehen;
und da wird man sehen, wie sehr sich der Hebel
krümmet, und was für üble Folgen sowohl die
Mutter als das Kind betreffen. (Kürzlich erst zeigte
man einen gebrauchten und durch die angewandte
Gewalt ganz ausserordentlich zurückgebogenen Hebel
der neueren Art: und belobte noch überdieß die be-
wunderungswürdige Kraft desselben: und dieß soll
nicht geschadet haben?)

Die Lieblinge des Hebels haben seine Wirkung
zu weit ausgedehnt; der Schaden aber, den er verursachet, ist öfters sehr wesentlich und unwiederbringlich. Um Wehen zu erwecken, hat man ihn gar

Steidele Geburtsh. IV.Th.   L   oft

oft gebrauchet, aber vielmalen ohne Wirkung. Die
Gedährende wird zwar gereizet aus allen Kräften
mitzuarbeiten, aber es fruchtet nichts; es entstehen einigemalen Wehen, aber sie bringen nicht das
geringste Andringen des Kindskopfs zu seiner Her-
auspressung hervor. Entweder man muß alsdann
den Hebel als ein nichts wirkendes Mittel gar weglassen, und eine andere Methode, den Kopf herauszuholen, wählen; oder man wird die bösesten
Zufälle verursachen, wenn man darauf bestehet,
seine Wirkung noch weiters, und mit vermehrter
Gewalt zu versuchen. Dieses unschuldig scheinende
Instrument hat öfters (wie ich mehrere Beyspiele
weiß) die unangenehmsten, ja gar tödtlichen Folgen hervorgebracht; denn nicht nur allein die Mutter, sondern auch das Kind können gefährlich beschädiget werden.

Wenn man den Kopf zu gewaltig drückt: so
dringet er zu stark auf das Steißbein, und kann es
hiemit verrenken, oder gar entzweybrechen, wenn es
mit dem heiligen Bein gänzlich verwachsen, und
folglich unbeweglich ist. Will man ihn mit Gewalt aus
der Scham herauspressen: so verhindert man, daß
er nicht, wie gewöhnlich, mit dem Hinterhaupt
unter den Schambeinen, wie ein Rad um seine
Axe, sich herumdrehen, und von unten aufwärts

durch-

durchbrechen kann, wodurch es geschiehet, daß er mehr auf das Mittelfleisch aufbringet, selbes anspannet, und endlich zerreißet.

Was aber noch gefährlicher ist, und diese erstbemeldte verdrüßliche Uebel weit übertrift, ist die Verletzung des Blasenhalses, des Muttermundes und der übrigen um die Vereinigung der Schambeine gelegenen Theile: sie werden durch den langen und mit stärkerer Gewalt vermehrten Druck dergestalten gequetschet, gedehnet, und endlich verwüstet, daß sie sich entzünden, und durch die darauf folgende Eiterung durchfressen werden, wovon ein unheilbares Unvermögen den Urin zu halten, und noch andere langwierige und verdrüßliche Uebel mehr entstehen; oder sie gehen in den kalten Brand über, und die Frau gehet zu Grunde. Ja selbst das Kind kann tödtlich verletzet werden: denn durch eine solche Gewalt, mit welcher das obere Ende dieses Hebels auf seinen Kopf wirket, wird das Hinterhaupt so stark und dergestalten hinein, oder gar durchgedruckt, daß das Gehirn hervorkommt.

Hieraus erhellet klar, daß der Nutzen des Hebels, wenn man ihn gebrauchet, wie man ihn zu gebrauchen räth, nicht so erheblich, seine Wirkung aber öfters schädlich, ja gar tödtlich sey. Ich zähle ihn daher nicht nur allein mit Deleurye und andern

L 2   Pro-

Professoren und geschickten Geburtshelfern, die meiner Meinung sind, unter die unnützlichen Instrumente, sondern ich betrachte ihn in vielen Fällen gar als ein gefährliches Werkzeug. Von der Zange hat man dieses nicht zu besorgen; sie entfernet sich von den Wänden des Beckens, und den weichen Geburtstheilen der Frau, drückt den Kopf ohne ihn gefährlich zu verletzen, zusammen; wirket als ein Hebel der zweyten Art, und ziehet ihn endlich heraus; ihre Wirkung ist also viel geschwinder sicher für beyde, und hiemit entscheidend; wo man hingegen bey dem Gebrauch des Hebels, wenn man ihn menschlich und nach den angezeigten Regeln gebrauchen will, auf gute Wehe, Kräften der Mutter, und auf ihr willkührliches Nachdrucken sich verlassen muß, und öfters vergebens darauf wartet. Daher mag es gekommen seyn, daß einige Geburtshelfer noch dazu die Zange anzulegen rathen weil der Hebel zur Beschleunigung der Geburt nicht hinreichet: zu diesen zwey Instrumenten werden also mehrere Hände erfordert: und wozu diese komplicirte, unschickliche Instrumenten Mischung? welche Frau siehet es wohl gern, wenn man sie zuerst mit dem Hebel quälet, und alsdann erst mit der Zange entbindet, man beunruhiget die Geburtstheile zu sehr, quetschet sie, und machet sich durch so eitle

Ver-

Versuche nur eine gedoppelte Arbeit: ich rathe also
lieber die Zange zu gebrauchen, wo der Hebel angezeiget ist: denn was diese macht, thut bey weiten
der Hebel nicht. Was heißt dieß, die Werkzeuge
ohne Noth zu vervielfältigen: was dem Großen gewachsen ist, ist auch dem kleinen gewachsen. Meine Meinung ist nicht, den Liebhabern des Hebels
den verderblichen Gebrauch vorzurücken, sondern sie
nur zu erinnern, ihn äusserst selten und mit mäßi-
ger Gewalt zu gebrauchen, oder lieber gar zu verabschieden, wenn sie seine betrügliche Kraft verken-
nen, oder nicht einzuschränken wissen. Der vom
Herrn v. Rechberger, k. k. Leibchirurgus verbesserte
Hebel ist diesem bishero bekannten vorzuziehen; er
ist breiter und ausgehöhlt wie ein Blatt der Zange;
fasset hiemit den Kopf besser. Die Furche nach seiner ganzen Länge, welche die Harnröhre aufnehmen
soll, wenn er hinter der Vereinigung der Schamknochen zu stehen kömmt, ist zwar gut angebracht:
nur fürchte ich, daß sie nicht allezeit genau hinein-
passet, 1) weil der Hebel während Arbeit von seinem Ruhepunkt manchmal abweichet, 2) weil sie
oft mächtig anschwillt; folglich kann sie eben auch
gedruckt werden, und jenen obbemeldten Zufall veranlassen. Die übrigen ihm zugetheilten Wirkungen
will ich keineswegs bestreiten, weil ich mich in der-

ley

ley (obgleich seltnen Fällen) meinem angenommenen
Grundsatze gemäß allzeit des sichern und entscheidenden Werkzeuges, der Zange nämlich, bishero, und
immer mit dem geschwindesten und besten Erfolg
bedienet habe. Ob er aber so mächtig seye, daß
er den Kopf, gleichwie die Zange, gerade herab
und durchziehen könne, ohne daß ihn eine stärkere
Gewalt des Nachdruckens von Seite der Gebährenden unterstütze, scheinet mir nicht wahrscheinlich
zu seyn, weil er nur einseitig wirket. Uebrigens
versichere ich, daß jene Fälle, welche den Gebrauch
des Hebels, sowohl als der Zange, nach der
Meinung der Vertheidiger des Hebels, nothwendig
machen, wohl sehr selten vorkommen; und doch bedienet man sich des Erstern nur gar zu oft, und bey
verschiedenen unbedeutenden Gelegenheiten, in welchen wohl nicht der Hebel, aber die Natur Wunder wirkte, wenn man sie mehr verschonte, und
ungehindert in ihrem Geschäfte fortarbeiten lassen
wollte. Der fast unüberwindliche Abscheu vor allen
Instrumenten, welcher unsere Frauen schüchtern
macht, hat mich in die Nothwendigkeit versetzt,
alle mögliche Mittel und Vortheile auszuforschen
um nur dieselben zu vermeiden. Die Geduld, Zeit,
Aufmunterung des Gemüths, Erhaltung der
Kräf-

Kräften, eine schickliche, und manchmal nach
Maß der Umstände abgeänderte Lage der Gebährenden, die wirkende Kraft eines oder mehreren
Finger, und andere unschuldige öfters unbemerkte
Kunstgriffe mehr, sind meistens die besten Mittel, und ich versichere, man kömmt an sein Ziel.
Man befördert die Geburt, befriediget die Frau,
und verschaffet der Kunst mehr Ehre, Nutzen
und Verbreitung, wenn man nach dieser Art und
ohne Hebel Wunder wirket. Der Mißbrauch
kann alles verderben, und die aufkeimende Zünei-
gung der Gebährenden zu den Geburtshelfern gewaltig verringern, wenn sie stets mit bewaffneten
Händen auftreten, die Zöglinge durch ihr Beyspiel verführen, und zu getreue Nachfolger ihrer
verkehrten Hülfsmethoden bilden, welche in aller
Betrachtung um so viel nachtheiliger sind, weil
sie nicht selten unangenehme Folgen zurücklassen,
welche unsere deutschen Frauen, die den Gebrauch
der Instrumente vorzüglich fürchten, und von
der Möglichkeit einer sanfteren Behandlungsart
gar wohl unterrichtet sind, von unserer ferneren
Hülfleistung unwiederbringlich abziehen, und hiemit
der Menschheit und der Aufnahme der Kunst den
allerempfindlichsten Schaden zufügen. Ich schmä-

he

he wider denselben, weil mich die traurigen Beyspiele, welche man höret, und das Murren der
Frauen dazu berechtigen: Auch aus den Auslan-
den, in welchen man diese Hebelsucht hat verbrei-
ten wollen, erhält man derley Produkte. Dieß
Instrument hat schon manche verführet; und dieß
geschieht blos allein falschen Begriffen gemäß,
welche man sich von der Einfachheit dessen, seiner
Leichtigkeit im Anlegen, und geschwinden Wirkung bey natürlichen Geburten, welche auch ohne
diesem eben so geschwind erfolget wären, zu machen
pflegt. Und gesetzt auch, sie hätten um einige kurze Zeit länger gedauert, so wären sie doch eben so
glücklich, ohne den Gebrauch eines Eisens, welches doch alle Weiber fürchten, vorübergegangen,
und hätten dem Geburtshelfer und der Kunst mehr
Ruhm und Credit erworben. Es ist doch unmöglich zu billigen, daß man aus einem Lieblingsmiß-
brauch Gewohnheit, und mehr Nachtheil als Vortheil bringenden Kunstgriff mit diesem Instrument
natürliche Geburten vor der Zeit beschleuniget,
die ohnedieß wegen ihrem schmerzlichen Geburtsge-
schäfte mitleidswürdige Gebährende mit Eisen ohne
Noth schrecket, und nicht selten Folgen veranlasset, welche dieselben verunglücken, und ohne dessen

sen Gebrauch gewiß nicht nachgekommen wären.
Das Mittelfleisch kann mit der Zange, wie man
einzuwenden pflegt, als! wie auch bey der natürlichen Geburt, wenn man unachtsam ist, aufge-
rissen werden; das gestehe ich: aber was verursachet der Hebel? Dieses habe ich schon beantwortet.
Es zerreisset noch viel ehender, besonders wenn
der Geburtshelfer mit den in die Scheide gebrachten Fingern der anderen Hand den Kopf gewalt-
sam entgegen drücket, und den einseitig wirkenden
Hebel dadurch unterstützt; wäre hier nicht die
Zange besser, wenn man doch ein Instrument
unumgänglich nöthig glaubt? Möchten doch diese
sonst so geschickten und einsichtsvollen Männer
zum Vortheil der Menschheit ihren blendenden Irrthum erkennen, den Mißbrauch aller Instrumenten
ohne Unterschied mit mir verabscheuen, und gegen
das Opfer dieses bey reifer Ueberlegung als unnöthig beurtheilten Hebels den wärmsten Dank annehmen. Es giebt doch erfahrne Geburtshelfer, welche zahlreiche Geburten, ohne sich jemals des Hebels zu bedienen, behandeln: meine Frauen wür-
den mich bald verabschieden, wenn ich oft mit be-
waffneter Hand aufgezogen käme. Die Arme soll
wie die Reiche behandelt, und der Schüler mehr
zur Manual- als Instrumentaloperation angeleitet,

und

und von der Behandlungsart im Kindbette, so wie
in der Geburt getreulich, ohne Zurückhaltung und
Vorurtheil unterrichtet werden: er muß die Folgen beyder einsehen, wenn er ein nützlicher Geburtshelfer und der Unschuldigen Schutzgeist werden solle.

Zehn-

Zehntes Kapitel.

Anmerkungen verschiedener Gegenstände in der Geburtshülfe, hauptsächlich die Blutstürzung betreffend.

Diese Anmerkungen habe ich theils aus meiner eigenen langen Erfahrung, theils auch aus dem vortrefflichen Werke des Herrn Leroux, siehe die Beobachtungen über die Blutflüsse der Wöchnerinnen, und über die Mittel, sie zu stillen, gesammelt. Diese Anmerkungen verdienen um so mehr gelesen, fleißig überdacht, und bey sich häufig äussernden Fällen benutzet zu werden, weil sie die wichtigsten Zufälle, welche in der praktischen Geburtshülfe vorkommen, und deren gefährliche Folgen genau schildern, und die ächten Mittel anzeigen, welche eine schleunige Rettung

be-

bewirken, und nicht selten zwischen Leben und Tod entscheiden.

Schwangere, Gebährende, und Kindbetterinnen ohne Unterschied sind einem mehr oder weniger heftigen Blutverluste unterworfen. Er ist keineswegs eine Krankheit, wenn er nicht lange dauert; wird er aber beträchtlich, so kann er tödtlich werden. Die Ursachen desselben sind eben so verschieden, als verschieden die Zeitpunkte sind, in welchen sie sich äussern, und die Wirkungen, welche sie hervorbringen. Die Hauptursache ist doch immer, wenn die beyden von der Natur der Gebährmutter eigenthümlich zugetheilten Kräfte als die Bewegung ihrer Elasticität — und ihre zusammenziehende Macht verhindert, unterdrücket oder mehr oder weniger, oder auf eine längere oder kürzere Dauer geschwächt sind. - Sind mechanische Hindernisse da, so muß die Hand abhelfen: ist eine Trägheit der ausgeleerten Gebährmutter die Schuld, so muß man sie durch andere mehrentheils reitzende Mittel aus ihrem nicht selten tödtlich werdenden Schlummer eiligst und thätig zu erwecken, und ihre sinkenden Kräfte zu beleben trachten.

Und wenn auch die Ursachen bekannt sind: so hat man noch überdieß auf die Dauer des Blutflusses — Heftigkeit desselben — auf das Alter und

Tem-

Temperament der Frau — Zahl ihrer erlittenen Geburten und Beschaffenheit derselben — Lebensart — Leidenschaften und übrigen Gesundheitsumstände zu sehen; damit man nicht zu frühe oder zu spät Hand anlege, der gütigen Natur nicht entgegen arbeite, wo sie noch helfen kann, sondern sie im ächten Zeitpunkt unterstütze, und die gehörigen Mittel in der verhältnißmäßigen Menge, und Eigenschaft eine kürzere Zeit hindurch, oder anhaltend anwende.

Das Product der Empfängniß dehnet die Gebährmutter aus, und hindert hinwiederum die Zusammenziehung derselben in den meisten Blutstürzungsfällen, wodurch es geschieht, daß die getrennten Gefässe sich nicht zusammenziehen können, sondern immerfort bluten; und die augenscheinlichste Lebensgefahr androhen, wenn man nicht auf das Kind und die Nachgeburt als die Produkte der Empfängniß loßgehet, und dieselben als die erste Ursache der verhinderten Gebährmutterkräfte nicht bey Zeiten herausschaffet.

Dann giebt es noch andere Ursachen entstehender Blutstürzungen, wo weder das Kind, weder die Nachgeburt, ob sie gleich noch in der Gebährmutter enthalten sind, derselben Fortdauer veranlassen. Und eine noch viel gefährlichere weiß man,

man, da auch die Gebährmutter völlig ausgeleeret
ist.

Es giebt die frühzeitige Lostrennung der
Nachgeburt den Anlaß zu Blutstürzungen, welcher
theils von der Nachgeburt, theils von der Gebährmutter, wie auch von der üblen Behandlungsart
herrühret. Von Seite der Nachgeburt ist meistens
die lockere aber ungleiche Verbindung derselben mit
der Gebährmutter, ihre gebogene und ungleiche
Struktur und Kürze der Nabelschnur die Schuld.
Die Gebährmutter wird einen Blutsturz verursachen wenn sie sich ungleich zusammenziehet: das ist,
sie wird die Nachgeburt in einem Punkte trennen
und die Verbindung derselben an anderen Stellen
nicht aufheben: diese ungleiche Zusammenziehung
schließt auch bisweilen in dem Orte ihrer Verbindung die Nachgeburt gleichsam als in einem Sacke
ein. Wenn die Hebamme mit ihren Versuchen die
Nachgeburt herauszuhohlen nicht nachlasset, sondern
immer fortfährt an der Nabelschnur, ja an der
Nachgeburt selbst zu ziehen, da doch die Gebährmutter noch nicht gehörig zusammengezogen, und
jene abgelöset wird, so kömmt der Blutsturz gleichfalls von der Gebährmutter her. Die Gebährmutter besitzet zwey mächtige Kräfte, von welchen kurz
vorhero Meldung gemacht worden ist: diese können

durch

durch verschiedene Ursachen vermindert, den Zustand der Trägheit nach sich ziehen. Diese ist also die Unthätigkeit dieses Eingeweides, worinnen seine Wände in dem mehr oder wenigeren Grade der Ausdehnung verbleiben. Wenn nun während diesem Zustand die Nachgeburt sich beträchtlich ablöset, oder bereits schon fortgetrieben worden ist, so bleiben die Mündungen der Gefässe weit geöffnet, und das Blut fließt stromweise aus. Man muß jedoch unter dem Worte Trägheit nicht einen völligen Verlust der Schnellkraft der Gebährmutter verstehen; dann wäre dieser zugegen, so könnte nicht mehr geholfen werden. Dieser Zustand der Gebährmutter bestehet blos in einer Ohnmacht, welche größer oder kleiner ist, kürzer oder länger dauert, und durch die Kunst noch gehoben werden kann.

Zuweilen ziehet sich die Gebährmutter aber nur sehr schwach zusammen: diese Gewalt ist aber nicht hinlänglich die Nachgeburt fortzutreiben; und dieß um so weniger, wenn noch überdieß der Muttermund sich zum Theil schon zusammengezogen hat, und folglich den Durchgang derselben erschwert. Hier wäre es rathsam die Nachgeburt baldigst herauszunehmen, besonders wenn man auf das Anziehen der Nabelschnur ein vermehrtes Gefühl der

Nach-

Nachwehen bemerket: die andrückende Nachgeburt wird den Widerstand des Mundes, wenn er nicht zu stark ist, schon überwinden, und der Grund der Mutter, durch die Anziehung der Nachgeburt gereizt, wird ungezweifelt von hinten her mitwirken, dieselbe fortzutreiben. Geschiehet dieses nicht, so wird sich das Blut hinter der Nachgeburt, welche den Mund genau bedecket und verschließt, in der Gebährmutterhöhle anhäufen, und eine innerliche tödtliche Blutstürzung veranlassen.

Oder wenn auch der starke Blutausfluß zwar nachläßt, die Gebährmutter sich zusammenziehet, aber ein Theil der Nachgeburt noch dergestalten fest anhanget, daß sie durch das Anziehen der Schnur nicht folget, so rathe ich alsogleich mit den Fingern den Muttermund zu erweitern, die Nachgeburt vollends abzulösen und schleunigst herauszunehmen: sonst verschließt sich der Muttermund, und hält selben zurück, wodurch Entzündung, Brand und der Tod erfolgen müssen.

Die Trägheit, welche aus Mangel der Schnellkraft, und der Zusammenziehung, folglich beyder Gebährmutterkräfte entstehet, ist noch um vieles gefährlicher. Dieser Zustand betrift auch meistentheils jenen Ort, wo die Nachgeburt sitzt. Der Mutterhals besitzet seine völlige Schnellkraft, ziehet

het sich zusammen, und verhindert den Ausfluß des Bluts: dahero kömmt der innere Blutsturz: und dieser hört nicht auf, bis man nicht durch die Erweiterung des Muttermunds die Gebährmutter zur Zusammenziehung reitzet, und die Nachgeburt durch die Kunst herausholet. Die vorbereitenden Ursachen zu einer solchen Unthätigkeit, Schlappheit, oder Trägheit der Mutter können theils von der Leibesbeschaffenheit der Frau, von dem Umfang des Bauchs in der Schwangerschaft, theils auch von der Natur der Entbindung und dem Umsturze der Gebährmutter ihren Ursprung nehmen. Weiber von einem schleimichten Temperament, die schlappe Fibern haben, langwierige Krankheiten ausgestanden, und deren Becken weit, der Muttermund schlapp, die Wasser häufig, und deren Kind und Nachgeburt groß sind, verfallen gern in diesen so gefährlichen Zustand: weil die Mutter einen Theil ihrer Schnellkraft verlieret, indem sie zu sehr ausgedehnet wird.

Die Umkehrung (Umsturz) der Gebährmutter ist ein sich öfters einstellender Zufall, und giebt ebenfalls zu Blutstürzungen Gelegenheit. Zuweilen ist sie eine Folge der Schlappheit der Gebährmutter, wie auch der üblen Behandlungsart währender Entbindung. Der Grund derselben, vor oder

Steidels Geburtsh. IV. Thl.   M   nach

nach der Ablösung und Austreibung der Nachgeburt, vertiefet und senket sich nur etwas in die
Höhle derselben hinein, — oder er dringet bis in
die Mutterscheide herab, oder ganz vor die Scham
heraus. Der Grund kann von selbsten durch seine
eigene Schwere, oder von dem Gewicht der Gedärme
gedrücket, oder mit der Nachgeburt, welche zu fest
angewachsen ist, gewaltig und anhaltend angezogen
auf diese erstbemeldte Art mehr oder weniger herab-
sinken, und hiemit die tödtlichsten Folgen veranlassen. Die Trägheit der schlappen und nicht zusammengezogenen Gebährmutter ist aber allezeit
die erste und einzige vorbereitende Ursache dazu, besonders bey Weibern, die öfters schon gebohren haben, und gar zu geschwinde niederkommen: die Gebährmutter hat nicht Zeit sich so geschwind zusammenziehen zu können; der Grund bleibt schlapp,
und die Seitenwände derselben haben ebenfalls nicht
Kraft genug ihn zu unterstützen, damit sie der anhaltenden Wirkung der Bauchmuskeln und dem
Zwerchfelle widerstehen könnten; der Grund giebt
nach, und vertiefet sich hinein, wie ein Hut, den
man mit der Faust nach einwärts und zusammen-
drücket. Ist diese wirkende Kraft zu heftig, und
der Widerstand der Gebährmutter zu gering, so
sinket der Grund mehr oder weniger herab, ja wohl
gar

gar vor die Scham heraus. Die blutenden Gefässe werden dadurch noch mehr erweitert, und drohen einen tödtlichen Blutsturz, wenn man nicht eiligst zu Hülfe kömmt.

Je nachdem ein großer oder kleiner Riß in der Gebährmutter nach der Entbindung zurückbleibt, so erfolget auch nothwendigerweise ein minderer oder stärkerer Blutfluß. Ist nun die Gebährmutter noch überdieß in einem Stand der Trägheit, und ziehet sich wenig oder gar nicht zusammen; so wird ein tödtlicher Blutsturz daraus. Geschieht der Riß noch vor der Geburt des Kinds; so wird sich die Gebährende ebenfalls baldigst verbluten, wenn man ihr nicht eiligst durch eine künstliche Entbindung zu Hülfe kömmt.

Es muß doch das Kind gerettet werden: die Mutter wird nicht zu retten seyn, weil das im Bauch ausgetretene Blut faulet, und die Gebährmutterwunde in Brand übergehet. Ich bemerkte bey einer solchen unglücklich Gebährenden, nebst den stufenweise heran nahenden den Brand verkündigenden Zufällen ein häufiges Brechen, eines blossen Blutwassers, welches ungezweifelt durch die Einsaugung in den Magen gekommen ist.

Es kann auch die Gebährmutter durch die gewaltsame Lostrennung der Nachgeburt hier oder

M 2   dort

dort in ihrer inneren Substanz auf einige Zolle aufge-
geriſſen werden, ohne daß ihre Wände durch und
durch geſpalten ſind: hierauf erfolget ein Blutfluß,
der eben auch gefährlich wird, beſonders wenn
größere Gefäße verletzet worden ſind. Man weiß
auch Beyſpiele, wo die Gebährmutter mit den Fingern durchgebohret worden. Der Muttermund
wird nicht ſelten, und beſonders bey einer Erſt-
geburt zerriſſen, wenn er nicht genugſam ausgedehnt
und erweitert, ſondern krampfhaft geſpannt iſt,
und von dem andringenden Kopf während ſtarken
Anſtrengen, hauptſächlich im Kreißſtuhle überwäl-
tiget wird. Der Blutſturz wird in dieſem Fall
zwar ſelten erheblich ſeyn: aber die übrigen nach-
kommenden Folgen können frühe oder ſpät bedenklich werden. Der Muttermund zerreißt auch,
wenn man ihn mit den Fingern gewaltſam
erweitert, und zugleich mit der Hand zurück-
ſchiebt. Daß die Gebährmutter mit Inſtrumenten
zerriſſen werden kann, iſt leider nur zu ſehr bekannt.
Ich weiß, daß mit einem Blatt der Zange der Mutterhals von außen hinein zerriſſen, und auf 2 Zoll
durchgebohret, und dadurch ein tödtlicher Blutſturz erreget worden iſt. Die mit vielen Krümmun-
gen verſehene, und in einer oder der anderen Seite
der Mutterhöhle angewachſene Nachgeburt, wenn
                                                        ſie

sie sich lostrennet, verursachet fast meistens einen
schleichenden Blutsturz, welcher aber endlich tödtlich
werden muß, wenn man sie nicht ablöset, und heraus-
schafft; dann die Wände der Gebährmutter ziehen
sich zwar zusammen, aber nicht ganz; es bleibt hinter dem getrennten Theile der Nachgeburt ein hohler
Raum, in welchem sich das Blut anhäufet, und
dann stückweise, oder auch flüssig abgehet. Wenn
man mit der Hand aussen über die Schamknochen
die Gebährmutter anfühlet, so wird man bemerken,
daß sie nicht rund, sondern länglicht ist. Wenn
man die Nachgeburt herausholen will, so muß man
meist erst den ziemlich schon zusammengezogenen Muttermund öffnen, und dann erst dieselbe ablösen,
welches nicht leicht hergehet, weil die war-
zenartigen Bündel und ||Ungleichheiten derselben
zwischen, und in den kleinen Vertiefungen, Furchen, und Höhlen der innern Gebährmutterfläche,
gleichsam wie eingekeilt fest sitzen. Es ist in einem
solchen Fall rathsamer, lieber einige kleine Portionen zurück, und die Austreibung derselben der Natur zu überlassen, als durch die Abkratzung dieser
kleinen unerheblichen Stücke Gefahr zu laufen, die
Gebährmutter zu verletzen, worauf meistens eine
Entzündung folgt.

Die um den Hals gewickelte Nabelschnur kann während der Geburt durch ihre Anspannung die Nachgeburt lostrennen, und hiemit einen Blutfluß verursachen. Reisset sie aber entzwey, und der Kopf ist schon in die Beckenhöhle herabgekommen so entstehet ein innerer Blutsturz, der beyden gleich gefährlich ist.

Nicht selten äussert sich eine Trägheit der ganzen Gebährmutter beym Anfang der Geburt, besonders wenn das Kind groß, und vieles Wasser darinn enthalten ist. Sie ziehet sich sehr schwach zusammen, und die Geburt erfolget oft bloß allein durch einen schwachen Reitz, welcher den Druck des in die etwas weitere Beckenhöhle herabgetretnen Kopfs auf dem Mastdarm verursachet verbleibt nun diese Trägheit der Mutter, auch nach der Geburt, und ziehet sich hingegen der Mund zusammen: so entstehet eine innerliche Blutstürzung: die Gebährmutterhöhle wird mit Blut angefüllt, dieß stocket, und vergrößert alsdann dieses Eingeweide, besonders, wenn fast alle Schnellkraft dasselbe verläßt. Dieser Blutsturz ist an und für sich schon gefährlich: er wird aber noch viel gefährlicher, weil man ihn nicht sobald entdecket: indem wegen dem grossen Blutklumpen, welcher den Mund ver-

verstopft, aus der Scham wenig oder gar kein Blut
fließt.

Oft entstehet ein starker Blutfluß gleich nach
der Geburt; er verliehret sich aber bald wieder,
wenn die Gebährmutter sich um die Nachgeburt zusammenziehet, und verwandelt sich in einen Schleichenden. Hohlt man aber die Nachgeburt nicht
bald heraus, so kommt er wieder stärker zurück,
und wird ein Innerlicher daraus, weil die Nachgeburt den Mund bedecket, oder zum Theile schon in
denselben eingedrungen seine Oeffnung gar verstopft.
Die gewöhnliche sowohl als die künstliche Heraus
schaffung derselben ist in diesem dringenden Fall eben
auch nicht so leicht und geschwind zu bewerkstelligen
weil der krampfhafte Mund den Durchgang derselben aufhält; ziehet man an der Nabelschnur mit
vermehrten Kräften, so reißt sie ab; und mit der ganzen Hand kann man auch nicht so gleich die künstliche
Ablösung bewirken, weil die krampfhaft zusammengezogene Mündung die Einbringung derselben verhindert. Ueberhaupt, wenn sich die Gebährmutter
nach der Geburt, die Nachgeburt mag in derselben
enthalten seyn oder nicht, mehr von unten hinauf
als von oben herab zusammenziehet, so ist jederzeit
die Frau in einer mehr oder wenigeren Gefahr.
Wenn auch die Nachgeburt abgegangen wäre, und

es

es blieben noch einige kleine Portionen zurück, so
erneuert sich der Blutsturz, verschwindet, und kommt
wieder, und dieß so lang, bis jeder auch der kleinste unnatürliche Körper aus derselben abgegangen
ist. Man kann sicher glauben, daß noch ein frem-
der Körper enthalten ist, wenn die Frau die ersten
ja auch in späteren Tagen ihres Kindbetts öftere
Blutflüsse und Schmerzen im Kreuz abwechselnd
verspüret. Derley Blutflüsse versetzen endlich die
Frau in die äußerste Gefahr; der Puls, welchen
man als seinen Kompaß beständig zu Rathe ziehen
soll, wird immer schwächer, und die Frau gehet
zu Grund, oder sie wird so äusserst schwach und
erschöpft, daß sie sich ihre ganze Lebenszeit nicht mehr
erholet.

Hält der Blutsturz lange Zeit an, ungeachtet
die Geschwulst der zusammengezogenen Mutter über
die Schamknochen zugegen ist: so kann man einen
Riß einer Stelle derselben, oder eine Vertiefung,
oder ein zurückgebliebenes Stück Nachgeburt, oder
einen Reitz der Gebährmutter mit allem Grunde
muthmaßen. Die Ohnmachten, welche eine Frau
gleich nach der Geburt bekömmt, kommen auch nicht
allezeit von einem Blutsturz her: Sie haben oft
verschiedene andere Ursachen zum Grund; hierinnfalls muß man genau acht haben, damit man aus

Irr-

Irrthum den ächten Umstand nicht verkennet, und dadurch den wahren Zeitpunkt, und die angezeigte Hülfleistung nicht verfehlet. Hysterische Anfälle — Erschöpfung der Kräfte — ein gählings überraschender Gemüthsaffekt — hauptsächlich aber die schnelle Veränderung des Blutumlaufs nach der Geburt, wenn sich die Gebährmutter baldigst ausgeleeret und alsogleich in die kleinste Kugel zusammengezogen hat. — Die Gefäße des Unterleibes, die vorher durch den Umfang der Gebährmutter waren unterstützt worden, haben nun diese Stütze nach der Entbindung verlohren. Sie geben leicht dem Antriebe des Bluts nach, das in größerer Menge dahin geht, weil es weniger Widerstand findet. Weil nun desto weniger Blut gegen die obern Theile und den Kopf zulaufet, so wird die Absönderung der Lebensgeister zum Theil unterbrochen, woraus also nothwendig eine Ohnmacht entstehen muß. Hier ist die geschwind angelegte auch binde das beste Mittel, um nur einigermaßen einen Druck des Unterleibes wider herzustellen, welchen man alsdann nach und nach verringern, und so hiemit den vorigen natürlichen Kreislauf befördern kann.——Winde in Gedärmen — ein zu leerer — oder gar zu sehr mit Speisen, und Getränke angefüllter Magen, worauf meistens ein erfolgtes Erbrechen Lin-

der:

derung verschaffet, können zu gleichen Ohnmachten
Anlaß geben.

Während einem Blutsturz in der Schwangerschaft, und Geburt, wenn er dringend zu werden
scheint, hat man sichs beynahe zur Regel gemacht,
daß Kind alsogleich durch die Kunst herauszuschaffen.
Es ist aber manchesmahl höchst gefährlich. Wenn
das Kind gut stehet; aber der Bauch weich, ausgedehnt, groß und fast ohne Schmerzen ist, so wäre es
rathsamer, die Wasserblase zu sprengen, den Muttermund mit den Fingern zu reizen, den Bauch zu
reiben, kalten Essig über denselben zu legen, und innerlich herzstärkende Mittel, als Zimmetessenz,
oder etwas anderes mit oder ohne Fleischbrühe zu
geben, um dadurch die Gebährmutter aus dem
Stande der Trägheit zu erwecken, und vorhero zur
Zusammenziehung zu reizen, alsdann könnte man
die künstliche Geburt vornehmen; die Gebährmutter wird sich alsdann nach dieser Entbindung geschwinder zusammenziehen, und nachhero keinen
erheblichen Blutsturz mehr fürchten lassen. Wenn
in einem ähnlichen Falle noch überdieß ein Krampf
des Muttermunds die Erweiterung desselben hindert: so sind obigen innerlich gegebenen Herzstärken-
den Mitteln einige Tropfen vom flüssigen Laudanum
beyzumischen; reizende Klystiere, welche in der mög-
lich-

lichsten Geschwindigkeit müssen beygebracht werden,
sind von einer vorzüglich guten Wirkung. Alle diese
Mittel befördern die erwünschte Zusammenziehung
der Gebährmutter von oben herab, und vertreiben
jene von unten hinauf: oder die Geburt erfolget
bald darauf natürlich, oder man bekömmt einen ge-
bahnten Weg, selbe durch die Kunst zu bewirken,
und zugleich einem fernern Blutsturz Einhalt zu
thun. Diese Vorsichtsregel ist besonders anzuem-
pfehlen, wenn die Nachgeburt über den Muttermund
angewachsen ist.

Der Krebs des Gebährmutterhalses und Muttermundes muß nothwendig bey einer Gebährenden
einen heftigen Blutausfluß veranlassen. Ein seltner
Fall den ich einmal bemerket habe: das Kind war
zeitig und gut zur Geburt gestellt, welche aber wegen
nicht hinlänglicher Erweiterung des Muttermundes
unmöglich erfolgen konnte, sondern durch die müh-
same Wendung hat befördert werden müssen. Wun-
derbar war es, daß während und nach der Geburt
sehr wenig Blut geflossen ist; das Kind wurde gerettet, die Mutter aber starb 4 Tage nach der Geburt gählings am Blutsturz.

Oefters bleibt ein Stück der Nachgeburt, welches abgerissen ist, zurück, oder es ist ein Nebenlap-
pen (cotiledon) von der übrigen gut formirten und

ganz abgegangenen Nachgeburt noch in der Gebährmutter enthalten: dieß Stück muß herausgeholet
werden, wenn der Blutsturz anhält, und dringend
wird. Die Nachgeburt eines unzeitigen Kindes,
(wenn sie nicht bald abgehet, verursachet auch manch-
malen einen anhaltenden, und bedenklich werdenden Blutsturz. Die künstliche Ablösung derselben
ist wegen dem engen Raume der Mutterhöhle und
der verengerten Oeffnung derselben, wenn man sie
mit der ganzen Hand vornehmen will, ganz unmöglich; dahero rathet man die Hand in die Mutterscheide, und nur mit dem Zeigfinger derselben durch
den Muttermund in die Höhle hineinzubringen,
und mit diesen allein die kleine Nachgeburt herauszuholen. Indem man zugleich mit der andern Hand
die kleine Gebärmutter von oben herab gegen die
Beckenhöhle drucket, damit der Zeigfinger bis in
die Gebärmutterhöhle hineinreichen kann. Dieser
Handgriff gehet auch vorzüglich an, wenn man bey
einem Blutsturz die Frucht selbst herausholen will.
Wenn aber der Muttermund so gewaltig zusammengezogen, und kein Finger in selben eingebracht werden könnte, so müßte man alles der Natur überlassen, und die oben schon bemeldten inn-und äussern blutstillenden Mittel thätig anwenden: worunter der mit kaltem Weinessig befeuchte Schwamm,

oder

oder Zapfen aus Leinwand, den man bis an den Muttermund in die Scheide stecket, und darinnen läßt, das bestwirkende Mittel ist. Manchmal läßt der Blutsturz auf viele Zeit nach, obgleich die Nachgeburt noch darinn ist: die Nachgeburt, welche ich auch einigemalen ausgewachsen oder grösser gewesen zu seyn beurtheilt habe, löset sich indessen durch die Fäulniß auf, und geht stückweise von der Gebärmutter ab: und so wie diese Stücke abzugehen anfangen, so äuffern sich kleine Schmerzen im Bauch und Kreuz, und abwechselnde Blutflüsse. Dieß dauert so lange und oft wochenlange Zeit fort, als faule grössere oder kleinere Stücke noch in der Höhle enthalten sind. Die Frau wird dadurch sehr entkräftet, und kann sich lange nicht erholen.

Wenn man eine zeitige Nachgeburt künstlich ablöset, und bemerket, daß neben der Hand das Blut häufig ausfliesset, und die Frau blaß, schwach und ohnmächtig wird: so soll man das beträchtliche schon abgelöste oder abgerissene Stück derselben alsogleich herausnehmen; von der mühsamen Ablösung des Ueberrestes abstehen, und alle mögliche vorgeschriebene Blutstillungsmittel anwenden, sonst gehet die Frau während der Operation zu Grund. Die Nachgeburt trennet sich auch in der Mitte los, und verbleibt mit ihren Ränften fest sitzen: das

Blut

Blut trennet die Bündel derselben voneinander, dehnet die Häute aus, machet Blutsäcke, und ergiesset sich in dieselbe häufig. Diese Blutsäcke gehen bis vor die Scham hervor; wenn man sie zerreisset, und sodann die Hand in die Gebärmutterhöhle bringet, so bemerket man die noch tief darinnen gelagerte Nachgeburt in ihrer Mitte zerrissen, und ringsumher noch fest angewachsen. Die Ablösung ist hier sehr schwer, und doch muß sie von diesem Ort der Trennung bis gegen die Ränder zu mit der äussersten Geduld, Vorsicht und Geschicklichkeit vorgenommen werden.

Wir haben oben die drey Gattungen des Gebärmutterumsturzes erkläret. Die Erkänntniß dieses so bösen Zufalls bestehet blos allein in dem Gefühl, und genauer Untersuchung der inneren Geburtstheile. Man muß ihn so bald als möglich zurückbringen: sonst entstehet ein Blutsturz; und wenn auch dieser aufhören sollte: so entstehen andere nicht minder böse Folgen, welche frühe oder spät Gefahr drohen. Wenn der Grund nur etwas eingedrücket ist, so fühlet man ihn durch den Muttermund mit dem Finger sehr leicht, wenn die Gebährmutter sich schon beträchtlichen Theils zusammengezogen hat, und in diesem Stand nachhero für immer verbleibt. Ich wurde zu einer jungen Frau 10 Wochen nach ihrer

Erst-

Erstgeburt gerufen, und fand die ganz schon zu=
sammengezogene kleine, aber ganz umgekehrte Ge=
bärmutter in der Scheide: andere hielten es für
ein Muttergewächs, und riethen zur Ausrottung
deſſelben; dieſe Frau entkam mit genauer Noth
dem Tode, welchen man auf die erfolgte Gebär=
mutterentzündung als unvermeidlich vermuthete.
Sie lebte zwar noch mit dieſem unheilbaren Zuſtand,
aber elend, und zehret nach und nach ab; alle na=
türliche Ausleerungen ſammt der ganzen vorigen
Geſundheit ſind in Unordnung. Andere wiederum
ſind nach einem anhaltenden weiſſen Fluß, und an=
deren kränklichen Zufällen ebenfalls an der Aus=
zehrung geſtorben: als man ſie geöffnet hatte, fand
man den Gebärmuttergrund nach einwärts gedrückt.
Weil meiſtens eine Trägheit der Gebärmutter mit
im Spiel iſt, ſo ſterben auch die Meiſten an dem
tödlichen Blutſturze, wenn man nicht bald hilft:
und wenn auch die Frau noch zeitlich ohne nachfol=
genden beträchtlichen Blutſturz zurückgebracht wird;
ſo iſt ſie beſonders wenn ſie ſehr reizbare Nerven
hat, und die Mutter nachhero ſich etwas geſchwin=
de aber ungleich zuſammenziehet, doch noch nicht ſo
bald auſſer aller Gefahr: man weiß Beyſpiele, daß
unvermuthet nachgekommene Fraiſen ſie tödlich hin=
geriſſen hatten. Die augenblickliche Zurückbringung

der

211

der umgekehrt in der Scheide herab, oder gar vor die
Scham herausgefallenen Gebärmutter ist das einzige Rettungsmittel: man muß sie aber durch den
Mund bis an ihren gehörigen Platz bringen, und
nicht blos allein in die Scheide zurückschieben, und
allda lassen, wie es die Hebamme bey obigem Beyspiele gemacht hat. Nachhero läßt man die Hand
so lange in der Gebärmutterhöhle darinnen, bis
man die Zusammenziehung derselben bemerket: damit der Grund nicht neuerdings herabfalle. Die
Nachgeburt soll man vorher ablösen, wenn es sich
thun läßt. Sitzet sie aber ringsherum noch fest;
so wäre es rathsamer dieselbe sammt der Mutter
wieder zurückzubringen, und ihre Ablösung zu erwarten. Wenn die umgekehrte Mutter durch den
zusammengeschnürten Mund, oder weil sie trocken,
angeschwollen, und vielleicht gar schon entzündet ist,
nicht zurückgebracht werden könnte: so müßte man
im ersten Fall krampfstillende, und im zweyten
die Entzündung zertheilende, erweichende inn- und
äusserliche Mittel vorhero anwenden. Ist der Zustand veraltet, der Grund verhärtet und schwer,
und der Muttermund weit offen; so wird es ein
chronisches unheilbares Uebel, und veranlasset nach
und nach anhaltende Blutflüsse, krebshafte Ge-
schwüre, die Abzehrung, und endlich den Tod. Wenn
man

man die vollkommen umgekehrte Gebärmutter wieder einzurichten Anstalt macht, so giebt man der Frau das Lager über quer im nämlichen Bett, und setzt die zusammgelegten Fingerspitzen in Gestalt eines Kegels auf dem Mittelpunkt der Geschulst, sucht diese Stelle einzudrücken, und nach und nach die umgekehrte Gebährmutter wiederum an ihre Stelle zu bringen. Rathsam wäre es vorhero den ausgefallenen Theil, wenn die Nachgeburt abgenommen worden ist, mit einem feinen trockenen Stück Leinwand zu bedecken, und sammt diesen zurückbringen: denn die Leinwand verhindert durch die verminderte Schlüpfrigkeit, daß die Finger von dem einzubringenden Eingeweide nicht so leicht abglitschen: diese Leinwand ziehet man nachhero alsobald heraus. Sollte sich die zurückgebliebene Gebärmutter nicht bald zusammenziehen, und den hierauf erfolgten Blutsturz nicht stillen, so soll man kalt Wasser mit Essig einspritzen, den Bauch reiben, und nebst diesen alle noch übrige bekannte Blutstillungsmittel eiligst anwenden: damit die träge Gebährmutter zur Zusammenziehung gereizt, ihre unterdruckte Schnellkraft wieder aufgewecket, und dadurch der Blutsturz gestillet wird, welcher sonst tödtlich werden muß.

Steidele Geburtsh. IV. Thl.   N   Wenn

Wenn man während einem Blutsturz das Kind, es mag natürlich oder widernatürlich eingetreten seyn, wendet: so rathet man, während der Operation, von einem Gehülfen den Bauch fleissig und anhaltend reiben zu lassen, besonders wenn der Bauch weich, die Wehen schwach, oder gar keine da sind, damit die Gebärmutter dadurch gereitzt, sich alsogleich zusammenziehen, ihre sinkende Schnellkraft wieder erlangen, und hiemit durch ihre wiedererhaltene eigenthümliche zusammenziehende Kraft, in welcher das wahre und einzige Rettungsmittel bestehet, die blutenden Gefäße verengern, und einem noch viel größern Blutsturz nach der Geburt vorbeugen könne. Augenblicklich nach der Geburt soll man die Bauchbinde anlegen, um einigermaßen einen Druck, wie er in der Schwangerschaft war, wieder herzustellen; theils auch zu verhindern, daß das Blut in die erschlappten Gefäße der Gebärmutter und des ganzen Unterleibes nicht so häufig eindringen könne: man mässiget dadurch den Blutsturz, und beuget auch jenen Ohnmachten vor, welche von dem veränderten Blutumlauf, auch ohne Blutsturz, wie ich oben schon erkläret habe, früher oder später nach der Geburt sich einzufinden, und länger oder kürzer anzuhalten pflegen. Beynebst soll man der Frau

eini-

zinige sterzstärkende Mittel mit abwechselnder Suppe oder Trinkpanadel reichen.

Kommt eine Ohnmacht von Mutterbeschwerun-
gen her, so ziehet sich der Muttermund fast allezeit
krampfhaft zusammen. Durch diesen Krampf werden die gewöhnlichen Kindbettausleerungen zurück-
gehalten, wodurch neue Zufälle entstehen. Gesellet
sich zu diesem Krampfe eine Trägheit der Gebärmutter, so wird sich in der Höhle derselben viel
Blut anhäufen, stocken, dieses Eingeweide neuerdings
ausdehnen, und bedenkliche Zufälle verursachen.
Dahero soll man möglichst trachten diesen Krampf,
und Nachwehen, welche die Mutter zur ungleichen
Zusammenziehung reitzen, mit schmerzstillenden
Mitteln zu heben. Läßt der Krampf nicht nach,
so verfällt die Frau in eine konvulsivische Ohnmacht,
verliert viel Blut, und läuft wohl gar Gefahr in
einem solchen Anfalle zu Grund zu gehen. Das
Opium mäßig gegeben, ist hier das wohlthätigste
Mittel, es hebt den Krampf und alle natürlichen
Schmerzen, es befördert die Reinigung, indem dadurch der Reitz und alle Zusammenschnürung der
Gefäße, welche die Ausleerung verhinderte, gehoben wird. Nicht selten geschieht es, daß die Frau
starke, sehr empfindliche, und anhaltende Nachwehen, in der Zwischenzeit aber Ohnmachten ha-

N 2   be-

be: die Höhle ist mit Blutklumpen angefüllt, und
doch fließt noch überdieß flüssiges Blut aus der
Scham heraus. Hier scheint ein besonderer Reiz
in der Gebährmutter gegenwärtig zu seyn; diesen
muß man auf die erstbemeldte Art mit dem Opium
wegzuschaffen trachten: alsdann öffnet sich der
Mund, die Gebährmutter ziehet sich regelmässig
zusammen, treibt den Blutklumpen weg, und verengert die Gefäße; die Zufälle verschwinden allmählig, und die Frau wird von aller fernern Gefahr befreyet, ob sie gleich lange matt und schwach
verbleibt.

In allen Blutstürzungen besonders nach der
Geburt sind folgende verschiedene Mittel angezeigt:
als das Binden der obern Armen, der Gebrauch
stärkender, gelind reizender und zusammenziehender
Mittel, worunter die Zimmetessenz das Beste ist
— wie auch der schmerzstillenden und schlafmachen-
den, unter welchen das Opium selbst das Vorzüg-
lichste ist: — eine horizontale Lage — das Herausziehen der Blutklumpen — das Zusammendru-
cken der Gebärmutter mit den Händen, und die
Reibung derselben — die Bauchbinde um den ganzen Unterleib — der Reiz des Muttermundes mit
den Fingern — der Weinessig, womit man Hände und Füsse bespritzt, und mit selben befeuchtete

Tü-

Tücher auf den Rücken, Bauch und Scham auf=
leget — Das Einspritzen kalten mit oder ohne
Waſſer vermiſchten Eſſigs, oder anderer zuſammen=
ziehender Feuchtigkeiten, als des Alaun und päpſt=
lichen Wundwaſſers, (welches, wenn man es im
allergefährlichſten Blutſturz nach der Geburt alſo=
gleich bey Handen hätte, wohl das allerbeſte Mit=
tel wäre) — dann kaltes Waſſer, Gefrornes, Eis
oder eisgekühltes Waſſer, welches man allenthal=
ben inn=und äuſſerlich am Körper anbringet: —
endlich der mit kaltem Weineſſig befeuchtete und in
die Mutterſcheide bis an den Muttermund hinein=
geſteckte Schwamm.

Dieſe Mittel müſſen eins um das andere grad=
weiſe, und nach dem Verhältniß der Gefahr,
auch verhältnißmäßig häufig wiederholt angewendet
werden. Man greift nicht gleich zu den Stärkern,
wo noch Gelindere helfen können. In Abſicht auf
die Wahl dieſer Blutſtillungsmittel kömmt es
hauptſächlich auf die Urſache des Blutſturzes an;
man muß wohl unterſuchen, in was für einem Zu=
ſtand die Gebährmutter ſich befinde. Oefters hat
man bloß allein auf die Vermehrung der Gebähr=
mutterkräfte durch gelinde reizende und ſtärkende
Arzneyen, alle ſeine Bemühung zu verwenden; iſt
die Gebärmutter noch angefüllet, und der Blut=

ſturz

sturz häufig, so ist die mechanische Hülfleistung das geschwindeste Mittel, diese mechanische Hindernisse, welche sich der zusammenziehenden Kraft derselben entgegensetzen, wegzuschaffen.

Nach der Geburt, wenn der Blutsturz wegen Trägheit der Gebährmutter gefährlich ist, kann man die meisten obenbemeldter Mittel mit dem glücklichsten Erfolg anwenden. Jener Blutsturz nach der Geburt, ob er gleich nicht sogar häufig ist, ist unstreitig der gefährlichste, wenn sich die träge Gebärmutter wenig zusammenziehet, und noch überdieß jene Ohnmachten dazukommen, welche, wie ich oben schon gemeldet habe, von dem vermehrten Kreislaufe des Bluts nach den unteren Theilen, und von dessen langsamen Rückflusse sich einzufinden pflegen: weil zu gleicher Zeit eine Beraubung der Säfte da ist, welche, indem sie die ganze Blutmasse vermindert, zugleich die fortschreitende Bewegung in den unteren Theilen schwächt, in den obern aber vermehrt, und nach und nach die nöthige Menge raubt, welche die Eingewelde, besonders die Lunge und das Herz zur Erhaltung des Lebens brauchen. In diesem Fall ist die Bauchbinde vortrefflich; nebst diesen müssen die oben angeführten Mittel, besonders die Reibung des Bauchs — der Gebrauch der Zimmetessenz mit kaltem Wasser —
die

die Umschläge und Einspritzungen — und der Essig-
schwamm fleißig und so lang ununterbrochen angewendet werden, bis die Gebährmutter sich zusammengezogen, und der Blutsturz sich gestillet hat.
Die horizontale Lage mit den übereinander gelegten
Füßen ist nicht zu vergessen. Die horizontale Lage
hilft auch alle Gattungen Blutstürzungen mäßigen,
sie macht, daß ein geronnener Blutklumpen entstehen kann, und verhütet oft die Ohnmachten: die
Ruhe des Körpers trägt auch viel zur Stillung dieses so fürchterlichen Zufalls bey. Das Lager soll
auf keinem Federbette gemacht werden, dann die
Federn erhitzen den Körper gar zu sehr, und vermehren dadurch die Bewegung des Bluts. In
den heftigsten Blutstürzungen nach der Geburt,
wenn die Nachgeburt zwar abgegangen, aber die
Gebärmutter erschlappet ist, ist der Tampon aus
Stücken Leinwand, oder einem Schwamm mit kaltem Weinessig, oder einem starken Wundwasser be-
feuchtet das beste und oft alleinige Rettungsmittel, wenn alle übrigen nicht helfen wollen. Die zusammenziehende Feuchtigkeit, womit er angefüllet
ist, reitzet die Gebährmutter, daß sie durch ihre
Zusammenziehung die blutenden Gefäße verengern.
Das Blut sammelt sich in der Gebährmutter, füllt
sie an, zerrinnet, und machet einen Blutklumpen.

Die-

Dieser legt sich an die offenen Gefäße, drücket sie, und hemmet den weiteren Ausfluß; er verschaffet der Gebährmutter Zeit, ihre Schnellkraft zu erlangen. Noch mehr, wenn die Gebährmutter im Grunde eingedrucket ist, so drucket er gegen diese Vertiefung, treibt sie zurück, und versetzt dieß Eingeweide wieder in seinen natürlichen Zustand: dabey muß man immerfort den Bauch reiben, und auch dadurch mithelfen, die Gebährmutter aus ihrem Stand der Ohnmacht und Trägheit aufzuwecken. Enthält die Gebährmutter eine kleine Frucht, ein Stück von der Nachgeburt, oder einen anderen fremden Körper, welche nicht sogleich herausgenommen werden können, und der Blutsturz wäre stark und anhaltend, so ist dieser Tampon ebenfalls vorzüglich gut: er hemmet den Blutausfluß, reizet die Gebährmutter, beförbert dadurch die Zusammenziehung derselben: und den geschwinderen Abgang der in der Höhle derselben befindlichen Leibesfrucht oder eines anderen fremden Körpers. Wenn eine 5, 6 oder 7 Monate schwangere Frau einen gählings entstandenen und anhaltenden Blutsturz bekömmt, der Muttermund aber wenig geöffnet, dick und steif ist, und aller angewendten Kraft ihn zu erweitern widerstehet: so kann er ebenfalls sehr nützlich seyn; er hemmt den Blutausfluß, und verschaffet

set Zeit, den Krampf und Blutsturz gehörig zu
stillen, oder die Frucht, wenn sie nicht mehr auf-
zuhalten ist, fortzutreiben.

Wenn eine in letzteren Monaten schwangere
Frau mit einem anhaltenden Blutfluß, wegen Lostrennung der am Muttermund angewachsenen Nachgeburt, befallen wird, wenige oder gar keine Ge-
burtsschmerzen fühlt, nach und nach viel Blut verlieret, und der Muttermund nicht so leicht und
bald erweitert werden könnte: so ist der Tampon
nicht minder anzurathen.

Wenn die Erschlappung, oder Trägheit der
Gebärmutter oft einen Blutsturz nach der Geburt
hervorbringt, so kann er auch durch einen stärkern
und anhaltenden Reiz erzeuget werden. Es läßt
sich aber die Ursache dieses Reizes nicht so leicht erklären. Dieß ist nicht die erste Gelegenheit, wo
einander ganz entgegengesetzte Ursachen fast einerley
Wirkungen in der thierischen Oekonomie hervorgebracht haben. Die Frauen haben starke, anhaltende und öfters sehr empfindliche Wehen: die Gebährmutter, in welcher nichts als neu erzeugte und
immerfort abgehende Blutklumpen enthalten sind,
zieht sich langsam zusammen, und doch hält der
Blutsturz an, und wird gefährlich. In diesem Fall
ist der Tampon ebenfalls ganz gut: man muß aber

haupt-

hauptsächlich auf die krampfstillenden Mittel nicht
vergessen, welche aus allen übrigen vorzüglich nothwendig sind. Meistens sind die Ursachen dieses
Reizes in der Beschaffenheit der Gebährmutter, und
ihrer ordentlichen Zusammenziehung zu suchen.
Nebenursachen können auch die mit vielem und ver-
härtetem Koth angefüllten Gedärme machen; der
immeranhaltende Druck derselben ziehet diesen Zufall und andere böse Folgen mehr nach sich.

Das Opium ist ein vorzüglich gutes, und
bey Zufällen in der Schwangerschaft, und Kindbett, hauptsächlich aber in der Geburt sehr brauch-
bares Mittel. Herr Professor Starke in Jena,
ein eben so erfahrner Arzt als geschickter Geburtshelfer und genauer Beobachter hat in seiner vortrefflichen medizinischen Dissertation den Nutzen
desselben, die Fälle, in welchen, und wie es anzuwenden, weislich angemerket. Wenn ein bloßer
Krampf die Geburt verschlimmert, oder aufhält,
so pflege ich das flüssige Laudanum zu einigen Tropfen mit etwas Wasser und Diakodsaft zu geben.
Ich habe aber bey einigen bemerket, daß das flüssige Laudanum, anstatt die erwünschte Wirkung her-
vorzubringen, beynahe die Schmerzen vermehrte,
und das Blut in eine Wallung brachte: ich ließ
ihnen folglich ein Gran Opium mit etwas Zucker
und

und Krebsaugen geben, und es machte die baldig-
ste und erwünschteste Wirkung: Tulpius hatte ähnliche Fälle, und den nämlichen Unterschied bemerket. Wenn ein starker Gebärmutterblutfluß vor,
während, und nach der Geburt mit einem besondern Gebärmutterreiz, oder anhaltenden krampf-
haften Schmerzen vergesellschaftet ist; so habe ich
nur gar zu oft die Zimmetessenz, mit etwas flüssi-
gem Laudanum, Camillensaft, und Wasser ge-
mischt vortreflich gefunden. Besonders nach einer
starken Blutstürzung nach der Geburt, wo eine
starke Entkräftung, auch ohne einigen Reiz und
Krampf, gegenwärtig ist, hat mir diese Mischung
gute Dienste geleistet. Wenn der Bauch einer
Kindbetterinn, aus was immer für einer Ursache
hart und schmerzhaft anzufühlen ist, so ist folgende
Salbe, den Bauch zu schmieren vorzüglich anzurathen: man mache eine Mischung von 1 Unze Ei-
bischsalbe, zwey Quintel Bilsenkrautöhl, und 4
Gran Opium.

Ich habe hier diesem Lehrbuch die Geschichte
eines Kaiserschnitts, welchen obbemeldter Herr
Professor Starke mit dem glücklichsten Erfolg vorgenommen hat, beygefüget. Weil sie die neuere
Methode praktisch schildert, die seltenste Ursache
der Nothwendigkeit desselben genau anzeiget, und

wegen

wegen der aufrichtigen Beschreibung dieser so äusserst wichtigen Operation und Heilung meinen Schülern sehr belehrend ist; so habe ich bey dieser Gelegenheit nicht unterlassen wollen, sie bekannt zu machen.

Ge-

Geschichte eines Kaiserschnitts.

Da die Operation des Kaiserschnitts, immer eine der wichtigsten ist, wobey oft auch der allergeschickteste Geburtshelfer, alle seine Bemühungen vereitelt sieht: so verdient meines Bedünkens folgender Fall wohl eine öffentliche Bekanntmachung.

Unerwartet wurde ich den 10. December 1783. zu oben genannter Dame gerufen, um zu untersuchen und zu bestimmen, wie nahe ihre Niederkunft sey, die ihr schon ein anderer Accoucheur im Monat Oktober bestimmt, ihr ist seinen Beystand aber versagt, und die sich unter steter Erwartung bis hieher verzogen hatte. Da die Natur von dem Gewöhnlichen selten Ausnahmen zu machen pflegt; so konnte die Entbindung auch nicht eher nach der Rechnung von dem Aussenbleiben des Monatlichen, und der ersten Bewegung des Kindes, als nach der Hälfte des Decembers erfolgen.

Weil

Weil ſie ſchon zweymahl gebohren hatte, ſo wurde ihre Aengſtlichkeit durch die Nichterfüllung der Vorherſagung noch mehr vermehrt. Denn das erſtemahl war blos wegen vermeinter ſchiefer Kopf= lage, wo aber wahrſcheinlich die Enge des Beckens die Urſache war, die Wendung zwar vorgenommen worden, allein mit der äuſſerſten Gefahr, die ſchon Tage lang gewährt hatte, blieb der Kopf ſtecken, und konnte nur erſt nach einer fünfſtündigen ſchwe= ren und ſchmerzhaften Arbeit gelößt und durchge= wirkt werden.

Das zweytemahl war zwar der Kopf in die obere Beckenöffnung eingetreten, allein ohnerach= tet die kräftigſten Wehen lange Zeit wirkten, blieb er unbeweglich ſtehen. Man forderte einen ſonſt geſchickten und erfahrnen Accoucheur zur Entbin= dung, die Zange wurde oft ohne nur irgend einen Nu= tzen zu verſchaffen angelegt. Nach langer angewand= ter vergebener Mühe für ihn und die arme abge= mattete Frau Patientinn wurde zu einer dem füh= lenden und Menſchenleben ſchätzenden Accoucheur allezeit zurückſchaudernden Operation, nehmlich der Enthirnung des Kopfes geſchritten. So muthig und glücklich auch dieſe unternommen worden war, ſo wenig war ſie auch in den erſten Augenblicken der Erwartung entſprechend. Denn es koſtete noch

auf=

äusserste Mühe und anhaltendeste Arbeit das an sich
sehr große Kind durch das Becken durchzubringen,
wobey es ohnmöglich ohne verschiedene Verletzun=
gen der weichen Theile hatte geschehen können, und
wodurch ein nicht sonderlich beträchtlicher Scheide=
vorfall wahrscheinlich entstanden war, deßhalb lan=
ge Zeit Einspritzungen waren angewendet worden.

Als Fräulein hatte sie zwar immer einen
Schmerz in der rechten Hüftgegend gespürt, die
während der Schwangerschaft und den Wochen sich
jederzeit vermehrte. Allein den Tag nach der höchst
gefährlichen Operation war sie ausser heftigen
Schweissen immer munter, schlief wohl, aß gut
und wünschte oft ausser dem Bette zu seyn. So
weit die Geschichte der vorhergegangenen unglück=
lichen Entbindungen.

Nach erhaltener Erlaubniß untersuchte ich sie
diesen Tag und fand bey ihr ein fehlerhaftes Becken,
wo nehmlich der rechte Schamknochen mehr ein=
wärts gedruckt war. Die Beckenhöhle war schon
mit dem Kopf meiner Meinung nach angefüllt, so,
wie der vorige Accoucheur und die Hebamme selbst
auch vermuthet hatten, doch war ich ungewiß und
konnte ohnerachtet aller vorsichtigen Mühe den
Muttermund nicht fühlen, ausser auf der rechten
Seite suchte mein Finger eine trichterförmige Höh=
le

le auf, die in die Höhe ging, die ich anfänglich
für den Muttermund hielt, und weil ich nicht weiter reichen konnte, ohne der Gebährenden die äuſſerſten Schmerzen zu verurſachen, auch dafür halten
mußte.

Gern hätte ich mich aus meiner Ungewißheit
geriſſen, wenn ich nicht befürchtet hätte, daß meine erſte ſchmerzhafte Unterſuchung bey der ganz neu-
en Bekanntſchaft, von mir die Idee eines ziemlich
plumpen Geburtshelfers geben würde. Da aus andern Zeichen mir die Entbindung noch nicht ſo nahe ſchien, ſo gedachte ich eine nähere Unterſuchung
bis auf den zweyten Beſuch zu verſchieben, den ich
auch nach acht Tagen machte, um mich näher zu
unterrichten; fand aber das nehmliche, und wurde
alſo in meiner Ungewißheit gelaſſen, auſſer noch
einen Mutterſcheidenvorfall, der aber meiner Meinung nach nicht viel zu bedeuten hatte.

Ohne völlige Gewißheit und Ueberzeugung, die
auch itzt aus mancher Urſache und Umſtänden nicht
möglich war zu erhalten, reiſete ich noch immer
zweifelhaft wieder ab: auſſer mehrern Zeichen einer
nahen Niederkunft, die mir doch die Nacht darauf
zu früh erſchien, wahrſcheinlich aber erfolgte, weil
Fr. v. L*** den Tag vorher eine Abführung aus
Glauberſalz eingenommen hatte. Denn ſchon am

17-

17. nach 8 Uhr Abends fingen die vorhersagenden Wehen an, wurden gegen 11 Uhr heftiger, und machten Ernst, so, daß ein Bothe um mich, der Abrede gemäß, zu holen geschickt wurde.

Den 18. frühmorgens um 5 Uhr kam ich an, fand die Kreisende in völligen Wehen, und fröhlich über meine Ankunft, diese Alteration verursachte aber, daß die Wehen, die vorher alle 3 bis 4 Minuten da gewesen waren, nun auf 1½ Viertelstunde aussenblieben. Doch nach hergestelltem Gleichgewicht der Lebenskräfte, fanden sie sich wieder ein, und kamen desto kräftiger.

In der Meinung, der Muttermund stünde nach der rechten Seite vorwärts etwas nach der Schamfügung zu mit einem gut eingetretenen Kopf, glaubte ich vielleicht durch Hülfe und vorsichtigen Gebrauch der Zange den Aeltern ein lebendes Kind zu schenken; glücklicher zu schenken, als die vorigen Geburtshelfer, deßhalb ich einige Wehen, entweder vorwärts mit dem Leib geneigt, und die Hände aufgestützt, oder auf den Knieen, verarbeiten ließ.

Nun aber bediente ich mich meines Geburtshelfersrechtes, und untersuchte mit der eingebrachten ganzen Hand genau, welches freylich, obgleich meine Hand ziemlich klein ist, viel Schmerzen verursachte. Hier entdeckte ich tief in der Beckenhöhe

Steidele Geburtsh. IV. Th.   O   le,

le, nach der rechten Seite zu einen harten Klum-
pen, völlig wie einen in die Beckenhöhle getretenen
Kindskopf, ich ſuchte ihn zu bewegen, allein um-
ſonſt, ich ſuchte ihn mit dem Finger zu umgehen,
allein er ſaß rund um den Beckenknochen feſt an.
Auf der rechten Seite konnte ich mit Mühe zwiſchen
dem Schamknochen und dieſem vorher vermeinten
eingetretenen Kopf mit dem Zeigefinger in die Höhe kommen, und ihn nach ſeiner Rundung etwas
mehr umfähren. Ich ging nun in der trichterför-
migen Röhre höher, die ſich in ein vernarbtes kallöſes Loch endigte, durch welches ſich der Finger
mühſam drängen mußte, wo ich den eigentlichen
Muttermund wie einen Gulden groß geöffnet hinter
dieſer Rundung ſitzend, mit der angeſpannten Bla-
ſe ausgefüllt und über dieſem den beweglichen
Kopf des Kindes zu meinem Erſtaunen fand. Ich
umfuhr nun dieſen vermeinten Kopf näher, fand,
daß er feſt ſaß, und hin und wieder weiche Stellen
hatte, ſich nicht bewegen ließ, und der Schwangern den Druck auf die Scheide hinter dem Tu-
mor Schmerz verurſachte. Genauer ſuchte ich ſei-
nen Sitz durch den Maſtdarm zu unterſuchen, und
fand ihn an den falſchen Wirbelbeinen des Heilig-
beins, und dem ungenannten Bein auf der Fü-
gung dieſer beyder Knochen mit in die Höhe getrie-
benen

benen Knochenwurzeln, die die runde Hülse bilde-
ten, sitzen. Nun sahe ich freylich, daß ich statt
des Kindeskopfes ein Osteosteatoma, Knochen-
speckgewächse, hatte.

Unter mancherley kämpfenden Gedanken bey
veränderten Umständen mußte ich also meinen Ent-
schluß ändern. Ich sagte dem Gemahle, daß hier
die äusserste Gefahr sey, und nur zwey Wege zur
Aenderung der Lage der vorseyenden Umstände wären, entweder Mutter und Kind, die doch beyde
ihre erhaltene Existenz durch muntere Bewegungen
bewiesen, sterben zu lassen, oder durch den Kaiserschnitt zu entbinden: Trauriger — Schaudervoller
— dazu noch in sinkender und dämmernder Nacht
gewagt, ja gethaner Antrag an einen zärtlichen ohnedem schon zitternden Gatten, und Hoffnungsvol-
len Vater! — Wahrlich ich zitterte und kalter
Schauer durchlief meinen Nacken, der ich doch
schon oft so manche liebevolle Mutter und Gattin
nebst dem Säugling aus des Todesrachen glücklich
gerissen hatte, nur die Worte auszusprechen. Allein die Pflicht, und der Beruf, der Befehl meines
mich unterstützenden Gottes hieß mich es sagen, und
diesen Rettungsweg vorzuschlagen. Welcher Gat-
te, welcher Vater würde gleich für oder wider entscheiden? Aber der Mann von der Vernunft gelei-
tet

O 2

tet, hörte die Sache — hörte Gründe, und —
folgte. Ich eilte zur Kreißenden zurück, und fand
ſie eben in ſehr angreifenden Wehen, die mir mit
geſeztem Blick entgegen rief: iſt keine weitere Hülfe, ſo ſchneiden ſie mir den Leib auf, lebt mein
Kind, ſo opfere ich mich gern für daſſelbe auf. Ich
ergriff dieſe gute Gelegenheit, fragte ob es ihr
wirklicher Ernſt ſey, und dieſe heroiſche Entſchloſ-
ſenheit richtete mich ſelbſt einigermaßen wieder auf,
und machte mir Muth. Nun ſtellte ich ihr bey
dem getroſten Muthe die möglichen Gefahren der
Operation vor, um ſie feſter in ihrem Entſchluß
zu ſehen, allein ſie blieb feſt, und ſie wünſchte nur
ihren Mann vor der Operation zu ſehen. Rüh-
rende Scene, die faſt in einer Minute ſo harmo-
niſch geſtimmt und geſprochen war. —

Um mich bey einem ſo wichtigen Fall ſicher zu
ſtellen und wirklich vorher zu unterrichten, ob etwa
das Knochenſpeckgewächſe da geweſen wäre, und das
Kind hätte zerſtückt oder enthirnt geboren werden
können, oder wenn es da geweſen, ob es etwa zu-
genommen habe, ließ ich die Hebamme fordern,
die bey der vorigen Geburt zugegen geweſen war.
Ihre Unterſuchung täuſchte ſie ebenfalls beynahe
mit Widerwillen gegen mich. Ich rieth ihr nun

ge-

genauer nach Anweisung zu untersuchen. — Hier
fand sie mit Entsetzen meine obige Anzeige.

Nun sagte ich der Fr. v. L*** die Entschliessung ihres Gemahls. — Die Freudigkeit der Dame sich statt dem Kinde aufopfern zu dürfen, kann
ich mit Worten nicht ausdrücken. Denn dieser
edle und erhabene Zug von Menschheit und der
heisse Drang der Mutterliebe würde den Härtesten
gerührt haben. — Er rührte auch mich, nicht aber
bis zur unthätigen Empfindeley; sondern stählte
mir den Muth, und gab meiner Hand auch dabey,
gestützt auf das Vertrauen, auf die Hülfe Gottes,
Festigkeit und gewissen Zug.

Die Wichtigkeit der Sache und die Vorsicht
in der Folge, die von Unkundigen gefällte widrige
Urtheile zu entfernen, auch selbst den Sachkundigen
keine Gelegenheiten zu Mißdeutungen zu geben, hielt
ich für nothwendig mir zwey Zeugen, als den Herrn
Bergrath D. Buchholz, und Herrn Hofrath und
Leibchirurgus Engelhardt zu erbitten, die mir
auch in der Folge des ganzen Verlaufs der Krankheit mit ihren Räthen und Besuchen beygestanden
haben. Ehe ich aber etwas weiter unternahm,
verfügte ich mich in die Stille, um alles gehörig
zu überlegen, und um auf jeden bey der Operation
vor-

vorkommenden Fall in Bereitſchaft zu ſeyn, mit einem Wort, ich überdachte meinen Plan.

Nichts war mir aber unangenehmer als meinen zu dieſer Operation nöthigen Apparat nicht bey der Hand zu haben, doch erhielt ich durch die Gütigkeit des Herrn Hofrath Engelhardts ein ſtarkes einen halben Zoll breites und einen halben Zoll langes bauchichtes Meſſer mit feſtem Stiel und ein einwärts gekrümmtes Biſturie. Die Heftpflaſter, Scharpie ꝛc. beſorgte ſogleich der fleißige und geſchickte Raths-Chirurgus Herr Georgi.

Ehe alle dieſe nöthige Sachen in Ordnung gebracht werden konnten, ließ ich der Fr. v. L*** am Arm noch ein Pfund Blut weg, das wie es bey den meiſten Schwangern gewöhnlich iſt, mit ſpekigter Haut bedeckt war. Den Darmkanal und die Harnblaſe, ließ ich noch durch ein Clyſtier entledigen. Auch einer jeden hier befindlichen Weibsperſon ſagte ich genau, was ſie bey und nach der Operation zu thun hätte. Dieſes verzögerte die Operation bis den 18. December halb 2 Uhr zu Mittage.

Freudig und vergnügt eilte unſere ſtandhafte Kreißende nun zu dem dazu geſchickt gemachten Bette, welches nach meiner Anordnung auf einem breiten Canapee ſo eingerichtet war, daß man von

allen

allen Seiten es umgehen konnte. Es war meist horizontal, außer da, wo der Kopf etwas höher gelegt werden könnte.

Ob ich gleich verschiedene Personen zur Befestigung der Extremitäten angestellt hatte, war diese Vorsicht kaum nöthig, weil Fr. P. sich während dem Schnitt fast nicht rührte.

Ich überdeckte das Gesicht mit einem Tuch, trat zu ihrer rechten Seite, suchte die größte Erhabenheit des Unterleibes, die ich gerade in der Mitte unter dem Nabel fand, und zeichnete mir in Gedanken ohngefähr auf der weißen Linie (*) eine Länge von 6 Zoll, und machte nach meinem überdachten Plan einen Einschnitt einen halben Zoll unter dem Nabel, so daß ich durch einen gemäßigten Druck und Zug des Messers die Fetthaut, die etwas stark war, bis auf die Muskeln durchschnitt, indem ich mit dem flachen Theil meiner linken Hand von der rechten Seite, und Herr Georgi von der linken Seite die Haut auseinander zog. Hier war wenig oder fast keine Verblutung.

Als-

(*) Zum Besten der Unkundigen, von denen ich schon oft um die Bedeutung dieses Ausdrucks gefragt worden bin, ist die weiße Linie eine geradlinichte durch den Unterschied der Farbe merkliche Vertiefung, die vom Nabel bis zu den Schaamtheilen hinunterläuft, und durch die Zusammenfügung zweyer sehnichten Muskelstriemen gebildet wird.

Alsdann durchschnitt ich mit einem vorsichtig geführten Zug und Druck des Messers die Muskeln sammt dem Darmfell, brachte nach unten zu zwey Finger der linken Hand ein, und erweiterte die Wunde mit dem Bistourie bis zur nöthigen Weite wobey eine kleine Verblutung kam. Ein mir schon vorausgedachter gemäßigter Druck mit der Hand eines Assistenten auf die Nabelgegend mußte mir das Herausfallen der Gedärme verhindern.

Nun zeigte sich die Gebährmutter ausgespannt mit einer bläulicht röthlichen dunkeln Farbe. In diese machte ich einen ähnlichen Einschnitt, welchen ich alsdenn durch Einstecken des Zeigefingers meiner linken Hand unterhalb dem Messer dirigirte, damit ich weiter nichts vom Kinde verletzte, und war so glücklich beynahe ohne viele Erweiterung die nöthige Länge der Wunde zu treffen, und bis auf die Haut des Kindes zu kommen, die ich auch sogleich öffnete, und das noch vorhandene Schafwasser quoll stark heraus. Mit der rechten Hand ging ich sogleich in die Gebährmutter hinein, da ich denn die linke Schulter des Kindes faßte, das mit dem Gesicht hinterwärts nach der linken Seite der Mutter lag. Ich ging geschwind von diesem bis zu den Beinen des Kindes, faßte sie beyde und zog es damit gelinde ohne Hinderniß durch die Wunde bis

an

an die Arme heraus, diese suchte ich auch herauszubringen, und dann zog ich bis an den Kopf, der
mit dem untern Kinn noch etwas anstieß, durch
eine kleine Drehung als dann sich gut löße. Das
Kind gab ich der nahe an mir stehenden angewiese-
nen Hebamme, fuhr sogleich durch die Wunde wieder ein, die sich schon stark zusammen zog, und löß-
te die noch fest sizende Nachgeburt. Kaum konnte
ich meine Hand mit dieser herausbringen, so schnell
zog sich die Gebährmutter zusammen.

Das Kind war zwar von der Heftigkeit der
Wehen schon ganz blau gedruckt, fing aber doch bald
an zu schreyen. (*) Alles dieses wurde innerhalb
nicht gar 5 Minuten nach Bemerkung der Uhr voll-
bracht. Ohnerachtet mich die ziemlich starke Verblutung der Gebährmutter etwas hinderte. Denn
ich hatte einen kleinen Abschnitt der Nachgeburt
getroffen, der diese so stark verursachte.

Nun

(*) Es war ein wohlgebildetes Kind, das über drey viertel Ellen
lang war, und sechs und ein halb Pfund wog. Weil man so
glücklich war eine sehr gesunde und gute Amme zu erhalten, wodurch die von der Frau Mutter schon mitgebrachten guten Säfte
unterhalten wurden, so nahm es ausserordentlich schnell zu, war
fast immer gesund, ohnerachtet ich der Amme ihre gewohnte Haus-
kost fortzusetzen erlaubte, lebt zur Freude und Vergnügen der
theuersten Aeltern, und ist dieß muntere Fräulein, der ich zum
unvergeßlichen Andenken diese Abhandlung besonders noch zuge-
eignet habe.

Nun deckte ich nur ein warm Tuch auf die Wunde und unterſuchte, ob Blut durch den Muttermund und die Scheide herausflöße. Allein es erſchien nichts, das mir eben wegen der allzuſtarken Anhäufung in der Gebährmutterhöhle bey einem ſo ungangbaren Durchgange des Beckens nicht angenehm war. Ich ſahe ſogleich noch einmahl nach der Gebährmutterwunde, und fand an dem untern Winkel noch ein Fädchen Haut herauzhangen, das ich ergriff, anzog und glücklich mit einem langen Anhang herausbrachte. Sobald dieſes heraus war, floß auch ſogleich das Blut durch die Scheidenöffnung heraus. Nun ſuchte ich mit einem in warmes Waſſer getauchten Schwame die blutigen Feuchtigkeiten aufzuſaugen und ſie ſo viel als möglich vom geronnenen und flüßigen Blut zu reinigen. Alsdann brachte ich die Lefzen der Wunde ſo nahe zuſammen als möglich, zog ſie durch gute Heftpflaſter noch näher an einander, auſſer daß ich an dem untern Winkel etwas Oeffnung ließ, um eine mäßige Wieke mit einem gefärbten Faden hinein zu bringen. Allein nun quollen die Gedärme hervor und erſchwerten mir die Zuſammenfügung der Wunde. Ich ſuchte ſie über die Gebährmutter gelinde zurückzubringen, und fuhr an dem Verbande fort, legte darauf noch etwas Plumaceaux, eine

Com-

Compresse in der Mitte auf die Wunde, und
zwey etwas dickere Conquetten an die Seiten, um
die Lefzen näher an einander zu pressen, und die
Bauchhöhle verengern zu können. Ueber diese
legte ich nun zur Befestigung für dießmahl bloß
eine Zirkelbinde.

Während der Operation hatte die Frau Patientinn fast gar keine Anwandlungen, denn sie
sprach so gar verschiedenes die Sache betreffendes.
Allein nach einer halben Stunde, als eine ziemliche
Portion Blut durch die Scheide abgegangen war,
wurde sie etwas blässer, der Puls geschwinder und
kleiner, die Augen trübe und matt, die Extremitäten etwas kühler und nun stellte sich ein kleiner
Anfall von Schwäche, so aber zu keiner Ohnmacht
übergieng, ein. Sobald ich dieses merkte, gab ich ihr
etwas Liquor cornu cervi succinatus mit Zucker
und hielt derselben flüchtiges Essigsalz, so der Hr.
B. R. D. Buchholz eigends zu diesem Behufe
hohlen lassen. Zugleich aber um den allzustarken
Blutabgang zu vermindern, schlug ich mit einem
wollnen Tuch Essig und Wasser über den Unterleib, vorzüglich auf die Schamgegend und Dickbeine.
Er stillte sich auch sogleich, und sie wurde wieder
munterer. Es fand sich auch in den äussern Theilen wieder mehr Wärme ein. Ohngefähr nach einer

ner Stunde kam ſchon ein Reitz zum Erbrechen, woburch ſie alles, was ſie zu ſich genommen hatte, wieder weg brach, das mir der Wunde wegen freylich höchſt unangenehm war.

Nachdem ſie ſo einige Stunden ruhig gelegen hatte, wünſchte ſie freylich ihr Lager zu verändern, das ich auch kein Bedenken fand zu erlauben. Sie wurde daher in ein anderes gewärmtes Bett gebracht, und vermittelſt des Betttuchs, das an den vier Zipfeln gefaßt wurde, herüber gehoben. Sie befand ſich hierauf ſehr leidlich ohne Schmerz, auſſer wenn ſie ſich etwas bewegte, ſo verurſachte die Friktion des Verbandes einige Unbequemlichkeit.

Gegen Abend nahm die Wärme im Körper etwas zu, jedoch ohne daß der Puls fieberhaft worden wäre, und um dieſes zu vermindern und vielmehr eine ruhigere Nacht zu verſchaffen, gab ich ein gewöhnliches Temperirpulver mit etwas Mohnſaft, das ſie auch wieder wegbrach mit dem Erinnern, daß ſie einen Widerwillen gegen alle Arzneyen habe, und nichts als etwas Citronen-Thee und Limonade verlangte. Daher ich ihr auch weiter nichts gab.

Die Nacht war ziemlich ruhig, ſie hatte auch viertelſtundenweiſe geſchlafen und mäßig getrunken. Sie klagte nicht viel über Schmerz der Wunde, außer

außer über einen Fleck auf der rechten Seite, daß sie schon vor und in der Schwangerschaft gehabt hatte.

Der Operation 2ter Tag.

Am 19. war sie den ganzen Tag munter, klagte eben nicht über Schmerz, außer wenn sie sich nach der Seite drehete; der Körper blieb in einer gemäßigten Wärme. Aus der Wunde gieng immer etwas blutiges Wasser, das noch stärker kam, wie ich die Wieke herausnahm, das ich überhaupt des Tages etlichemahl that, weil ich den Verband so eingerichtet hatte, daß ich zu der unten gelassenen Oeffnung kommen konnte, ohne den Verband zu lösen. Und so lange ich keinen unnatürlichen Geruch bemerkte, fand ich auch nicht für nöthig etwas einzuspritzen.

Den Tag über ließ ich ihr bloß Limonade, oder Zwieback und Citrone mit Wasser abgekocht, überschlagen trinken, und mit unter eine Tasse Camillenthee, weil manchmahl ein Schmerz den Nachwehen ähnlich sich äusserte, und hiedurch gelindert wurde. Zugleich ging auch immer etwas Blut aus der Mutterscheide mit ab. Den Mittag nahm sie etwas Wassersuppe mit weissen Brod zu sich und schien ihr wohl zu schmecken. Allein gegen Abend wurde der Leib etwas aufgebläht, blieb aber doch

weich

weich ohne merkliche Zunahme von Fieber, ſo daß
der Puls nur wenig geändert wurde.   Bald aber
kam Aufſtoſſen des Magens und Erbrechen, womit
nicht allein alles zu ſich genommene wieder wegging,
ſondern auch grünlich gefärbt war.

Nach dieſem erfolgte etwas Durſt und man
reichte ihr das gewöhnliche Getränk, ſie war wieder munter und leidlich, und wünſchte nur zu
ſchlafen, das aber dieſe Nacht ebenfalls nur ſpar-
ſam erfolgte, und die Ruhe nach Mitternacht durch
abermahliges Erbrechen unterbrochen wurde.   Doch
hatten ſich bis an Morgen keine widrigen Zufälle
eingefunden.

Der Operation 3ter Tag.

Am 20. früh, gab ich erſt ein Clyſtier aus
Hühnerbrühe, weil ſie noch keine Oeffnung gehabt
hatte, und ich den Leib erſt ausleeren wollte, ehe
ich aufs neue verbände, da er doch aufgeblaſen und
angeſpannt war.   Der Stuhlgang ging gefärbt und
mit etwas Schleim ab.

Gegen 9 Uhr Vormittags ſchien der Puls etwas gereizter zu ſeyn als die vorigen Tage.   Dabey hatte die Fr. P. auch etwas mehr Durſt.   Gegen Mittag gingen einige Blähungen ab, zum Be-
weiſe, daß der Darmkanal durch Einklemmung
nicht etwa verſperrt ſey.

Um

Um 12 Uhr nahm sie wieder etwas Brodsup=
pe. Gegen 2 Uhr Nachmittags war der Puls
merklich geschwinder und gereizter, der Leib mehr
aufgetrieben und mehr angespannt. Es stellte sich
auch wieder ein Erbrechen ein von einer grünlich
bräunlichten Masse mit bitterm Geschmack nebst der
Suppe und den zu sich genommenen Geträuken.

Um 3 Uhr sah ich nach dem Verbande, der
noch ziemlich fest und gut lag, doch hatte die aus=
fliessende Jauche einen der Kindbetterinnen = Reini=
gung ähnlichen Geruch, der durch Abgang selbst
vermehrt wurde, übrigens aber mäßig ausfloß.

Die Wundlefzen sahen gut, nämlich röthlich
aus, waren nicht viel geschwollen, und schienen
fast zusammengeleimt zu seyn.

Weil ich aus ähnlichen Erfahrungen wußte, daß
dieses noch keine völlige Verwachsung war, so such=
te ich sie etwa einen Zoll breit mit einer feinen
silbernen Sonde zu trennen, führte diese so tief
hinein, bis ich die Gebährmutter entdeckte, auf
deren Oberfläche ich sie herum führte, um das ge=
ronnene und faserartige, das sich gern anzusetzen
pflegt, zu trennen. Dadurch erreichte ich auch
meinen Zweck, daß eine Menge Jauche noch her=
ausfloß, die aber gar nicht übel roch. Theils hat=
te ich auch die Absicht zu erforschen, ob ich nicht et=
wa

wa einen Darm eingeklemmt haben möchte, weil
dergleichen Vernachläßigung nicht ſelten Veranlaſ-
ſung zu gefährlichen Folgen gegeben hatte.

Von nun an ſpritzte ich einen dünnen Abſud
von Chinarinde und Arnika-Kraut ſo lange ein,
bis das Eingeſpritzte nichts mehr anderes gefärb-
tes mit ſich herausbrachte. In die Oeffnung legte
ich wieder eine Wieke, befeſtigte die Wunde beſſer
durch einige neue Heftpflaſter, die ich übers Kreuz
legte, und verfuhr übrigens wie vorher.

Nachdem ich ſie wieder etwas hatte ausruhen
laſſen, ließ ich ſie höchſt behutſam in ein anderes
Bett bringen, damit die Betten wieder gereiniget,
und die Atmosphäre um ſie herum verbeſſert werden konnte, welches doch bey Wöchnerinnen immer
die beſte Arzney iſt. Um die Oeffnung und Ausleerung des Darmkanals zu befördern, das ſteigen-
de Fieber zu vermindern, wollte ich ein Tamarinden Tränkchen, mit Salpeter und etwas Wein-
ſteinrahm geben. Alles wurde wieder weggebrochen. Man verſuchte ein angenehmes Manna-
tränkchen, das wie Limonade ſchmeckte, auch dieſes warf der Magen von ſich. Mit einem Wort,
ich mochte verſuchen was ich wollte, alles wurde
wieder von ſich gegeben. Um alſo dieſes Erbrechen, welches doch im Grunde der Wunde leicht

Scha-

Schaden zufügen, oder eine Entzündung des Magens und des Darmkanals erregen konnte, beschloß ich derselben innerlich nichts, als die gewöhnlichen Getränke zu geben, und dagegen mit häufigern Clystieren fortzufahren. Denn den Leib bey der starken Aufblähung öfters auszuleeren, war höchst nöthig.

Ich verordnete deßhalb ein Clystier aus Manna und Glaubersalz, allein es blieb sitzen, das mir eben nicht so ganz unangenehm war, denn ich glaubte, es würde desto mehr aufsuchen, oder doch die Gedärme in etwas anfeuchten.

Die Fr. P. war auch heiter und munter dabey, doch äusserte sich öfteres Aufstoßen und gegen Abend kam wirklich ein gallichtes, auch säuerlich wie Tamarinden Dekokt aussehendes Erbrechen, so, daß wohl reichlich 3 Pfund auf einmahl weggebrochen wurden, wodurch indessen die Fr. Patientinn sehr angegriffen oder abgemattet wurde.

Abends 8 Uhr trat nun das Wund- und Milchfieber zugleich mit einem heftigen Frost ein, der sich bald verlor, und dagegen eine stärkere anhaltende Hitze mit geschwindem und gereizten Puls kam. Doch war sie so beschaffen, daß die Haut weich und nachgebend blieb; und eine wohlthätige Ausdün-

Steidele Geburtsh. IV. Thl.   P   stung

stung mit sich brachte, die auch einige Stunden anhielt.

Weil das Auftreiben des Unterleibes so gar
stark war, daß ich Nachtheile für die Wunde be-
fürchtete, und es auch anfing der Frau Wöchner-
inn etwas lästig zu werden, die ich wohl möchte
als das größte Muster der Geduld und ruhigen
Uebernehmung alles Unangenehmen in Krankheiten mit einer solchen Geistesgröße, daß sie bey dem
empfindlichsten Schmerz, den sie doch auszuhalten
hatte, den kältesten Zuschauer rühren, und in Be-
wunderung setzen mußte, allen Kranken aufstellen;
ließ ich Clystiere aus einem gesättigten Aufguß von
römischen Camillen, 2 Loth Meerzwiebelhonig und
noch einen Eßlöffel voll Weineßig auf Anrathen
des Herrn Bergrath Buchholz wiederholt geben.
Nach einiger Zeit gingen sie ungefähr wieder ab,
brachten aber doch etwas wenigen Schleim mit, die
Aufblähung des Unterleibs blieb wie vorher. Bey
allen diesen unangenehmen Zufällen, verließ unsere
verehrungswerthe Kranke die Geduld nie, sie er-
trug alles mit einer bewundernswürdigen Größe
des Geistes. Gegen 10 Uhr fand sich auch wieder
Erbrechen ein, mit Erleichterung der Fr. Patien-
tina, der Puls wurde ruhiger. Doch blieb ein
bitterer Geschmack im Munde alles Ausspühlens un-
ge-

geachtet zurück. Sie wünschte etwas zu schlafen, wachte aber mit Phantasien bald wieder auf, die auch die ganze Nacht beynahe anhielten. Bey allen den Umständen erfolgte den ganzen Tag über die Kindbetterinnenreinigung gehörig.

An der Ausleerung des Unterleibes war mir nun allerdings hauptsächlich gelegen, und da die Klystiere das nicht leisteten, was ich wünschte, so versuchte ich ihr Manna statt Zucker in Thee und in der Limonade zu geben, weil ich glaubte, daß die Verstopfung an dem vielen Erbrechen einigen Antheil hätte. Sie nahm es gern, ohne daß sie wußte, daß Manna dabey war. Allein nach 2 Stunden brach sie ebenfalls eine ähnliche Masse, wie ich sie oben beschrieben habe, weg. Um 12 Uhr verordnete ich ein Klystier aus Kamillen und Tamarinden, worauf einige Blähungen abgiengen und nach einiger Zeit gieng das Klystier mit etwas Schleim, der sehr übel roch, vermischt, wieder ab.

Hierauf schlummerte sie etwas unter gelinden Phantasien. Die Haut wurde etwas feucht. Gegen Morgen 5 Uhr des 21. empfand sie Kneipen, worauf ein langes und anhaltendes Aufsteigen erfolgte, und das pflegte immer vorauszugehen, wenn Aufstoßen kam. Vermuthlich traten die

P 2 Blä-

Blähungen aus den Gedärmen zurück, füllten den Magen an, und ſtiegen endlich in die Höhe, denn von der Zeit fiengen ſie auch an einen übeln Geruch von ſich zu geben. Um 7 Uhr gab ich das vorige Klyſtier, das Klyſtier gieng nach einiger Zeit ab, ohne nur das geringſte mitzubringen. Der Puls wurde hart, völler und geſchwinder und die Haut trockner.

Weil alſo nichts erfolgen wollte, legte ich eine Salbe aus gleichen Theilen Altheeſalbe und Ochſengalle, als ein Pflaſter über den ganzen Unterleib, ſo weit es der Verband erlaubte, auf, die mir in ähnlichen Fällen immer herrliche Dienſte geleiſtet hatte. Die Frau Patientinn wurde ziemlich ruhig und ſchlummerte zuweilen; allein nach einigen Stunden wurde etwas Unruhe tiefer im Unterleibe bemerkt, die ſich aber wieder legte. Um 10 Uhr ſah ich nach dem Verbande. Die Lefzen der Wunde hatten ſich gut an einander geſchloſſen.

Der Operation 4ter Tag.

Um 11 Uhr wirkte zwar das gegebene Klyſtier, aber ohne etwas Unrath mitzubringen. Weil die Zufälle doch nicht abnahmen, ſondern heftiger wurden, ſo gab ich ein Klyſtier aus Kaffee, worin ich etwas Sennesblätter abkochen ließ. Das Krampf-

ſibri-

widrige, öhlichte und milde des Kaffees mit etwas
Reizenden verbunden, schien nicht ohne gute Wirkung zu seyn. Denn das Klystier gieng ab, und
brachte zum erstenmal etwas wirklichen Unrath und
Blähungen mit. Schon wurde die Frau Patientin
etwas erleichtert. Nach 3 Stunden wiederholte
ich das nämliche, und es wirkte wie vorher wieder
zum Vortheil, doch aber noch nicht so, daß eine
völlige Ausleerung wäre zu erwarten gewesen. Daher auch gegen Mittag 1 Uhr abermal ein Brechen
kam, wie die vorigen Male. Es wurde deshalb
Spirit. Matricar. ʒiij. Essent. Galban. und ʒTR.
Thebaic. ʒß. (*) eingerieben, so daß mit obi-
ger Salbe gewechselt wurde, und es that ihr
wohl.

Bey allen den Zufällen und dem häufigen Erbrechen, klagte sie oft über Hunger, daher sie zuweilen etwas Hühnerbrühe, Brodsuppe, Sago-
Suppe, mit etwas Citronensäure erhielt.

Die Unruhe im Unterleibe nahm zu, das Aufstoßen kam seltener, und die Blähungen schienen
mehr niederwärts zu gehen. Sobald ich dieses merkte, ließ ich auch gleich das vorige Klystier wiederho-
len, besonders weil sich der Unterleib mehr aufblä-
hete,

(*) Ein in ähnlichen Fällen oft erprobtes Mittel des Herrn B.
R. Buchholz.

hete, das auch wieder Unrath und Blähungen mit-
brachte.　Hierauf wurde sie munterer, der Unterleib wurde erleichtert und sie befand sich im Ganzen
besser.

Allein gegen Abend fand sich vermehrte Hitze,
Durst und geschwinder Puls ein, der Leib wurde
wieder mehr aufgetrieben, gespannt, hart und schmerzhaft. Ich ließ die obige Salbe wieder mit Abwech-
selung der obigen äußerlichen Mixtur einreiben.
Dann verordnete ich wieder ein Klystier um den
Leib auszuleeren, damit ich den Verband fester machen könnte.　Um 8 Uhr sah ich nach dem Verband.
Weil der Theil des Leibes über dem Nabel oder
dem Verbande sehr aufgetrieben war, ließ ich von
der Zirkelbinde noch eine Tour um den Leib, und
ließ sie zusammengezogen halten, bis der ganze Verband vorbey war, und dießmal schnitt ich auf der
Wunde alle Heftpflaster durch, und suchte die En-
den zu lösen, so viel als möglich, das freylich empfindliche Schmerzen verursachte.　Die Wunde war
meistentheils trocken und unten lief eine blutige
Jauche heraus aber ohne Geruch, die ich durch oben
benannte Injektion rein ausspühlte.　Weil aber
an dem obern Winkel der Wunde einige congluti-
nirte Stellen sich wieder trennten, und gleichsam
Oeffnungen entstunden, durch welche ich in die
Bauch-

Bauchhöhle fehen konnte, bemerkte ich eine Portion von einem dünnen Darme, das herunter ge-
funken war, ziemlich dunkelroth ausfah und entzündet zu feyn fchien. Ich legte fogleich die Frau Patientin mit dem Hintern etwas hoch, und fchob ihn
mit einer etwas breiten Sonde wieder höher hinauf.
Alsdann vollendete ich den Verband, legte ganz
neue Heftpflafter an, und verfuhr wie gewöhnlich.
Damit aber die aufferordentliche Aufblähung des
Unterleibes der Wunde nicht etwa zu viel fchaden
möchte, legte ich über die Zirkelbinde eine Kreuzbinde mit zwey Köpfen an. Auf dem Rücken wurde fie fo angelegt daß das Kreuz auf die Wunde kam,
der eine Kopf von auffen über die Schenkel lief, zwi-
fchen diefen wieder herauf kam, in der Leiftengegend
in die Höhe wieder nach dem Rücken, wo fie einander begegneten und mit den fich begegnenden Bändern in den Weichen befeftiget wurden. Diefe hielt
nun die Wunde und den ganzen Unterleib vortreflich
zufammen.

Nach dem Verband, wodurch freylich die Blähungen etwas Raum erhalten hatten, fühlte fie
ein wohlthätige Erleichterung, und fchlief ohngefähr
eine halbe Stunde. Nachdem fie aber erwacht war,
und eine Taffe Thee genommen hatte, brach fie eine
entfetzliche Menge anfänglich grünen Schleim hernach

nach schwärzlich, dicklich und übelriechend weg, das
der Frau Patientin beynahe die Idee des beym Mi-
serere gewöhnlichen Abganges gebracht hätte, und
ich gestehe selbst, es war mir doch auch nicht gleich-
gültig, denn keine ordentliche gewöhnliche Ausleerung des Darmkanals war doch noch eigentlich
nicht erfolgt, und der schmerzhafte Leib ließ mich
beynahe eine Entzündung vermuthen.

Ich ließ indeß mit der Salbe und der Blä-
hungtreibenden Mixtur immer fortfahren, weil sich
doch auch immer mehr Unruhe im Unterleib zeigte,
das ich für ein gutes Zeichen der wurmförmigen
Bewegung der Gedärme hielt.

Mit eintretender Nacht, vermehrte sich die Unruhe mit einer mir bey dieser sonst immer höchst ge-
duldigen und standhaften Patientin ungewohnten
Aengstlichkeit, die von Hitze und hartem schnellen
Puls begleitet war. Der Unterleib blähete sich mehr
als jemals auf. Um Mitternacht erfolgte ein ganz
entsetzliches Brechen von grünen und schwarzen Flüs-
sigkeiten, daß zwey große Spühlnäpfe davon voll
wurden. Nichts konnte ich hiebey thun, als die
Klystiere zu wiederhohlen. Eins aus Kamillen
und Seife führte zwar Blähung und Unrath ab, mit einiger Erleichterung aber doch nicht
hinlänglich. —

Am

Am 22. früh klagte sie über Kneipen und Unruhe im Unterleibe, das mir zwar angenehm war; allein ein Reitz zum Brechen äusserte sich doch noch immer. Um theils die Spannkraft der Gedärme zu reitzen und zu vermehren, theils der etwa entstehenden Fäulniß zu begegnen, ließ ich nun Klystiere aus China und Kamillen geben, nebst Kamillenthee und Fenchelsaamen. Doch wirkten auch diese noch nicht nach Wunsch.

Hierauf wurden Bähungen aus Kamillen, Arnika-Kraut, Fenchelsaamen und China in Wasser gekocht und damit getränkte Tücher warm umgeschlagen, dabey wurde die obige Blähungsmixtur fleißig eingerieben und davon allezeit auf ein wollenes Tuch gesprengt. Mittags 1 Uhr erhielt sie wieder ein Klystier wie vorhin. Nach einiger Zeit wirkten diese mit starken und sehr stinkenden Ausleerungen von Unrath und Blähung. Der aufgeblasene Unterleib setzte sich mit einemmal so merklich, daß ich genöthiget war den Verband der Wunde fester anzuziehen. Alles änderte sich nun zum Vortheile. Alle Zufälle wurden milder. Der Puls wurde ruhiger und näherte sich dem natürlichen, die Hitze und Aengstlichkeit nehmen ab. Sie trank auch etwas Buttermilch, das ihr noch die Ausleerungen beförderte mit großer Erleichterung. Dem-

ohn-

ohngeachtet gab ich ihr Abends 6 Uhr wieder ein
Klyſtier, das auch wieder ſehr viel ſtinkende Un=
reinigkeit ausführte.

Um 8 Uhr Abends legte ich einen ganzen fri=
ſchen Verband an. Vorher aber reinigte ich die
Wunde, aus welcher viel blutige Jauche floß, die
einen ſcharfen, überaus faulichten Geruch hatte.
Ich ſpülte ſie mit benanntem Wundbekokt aus, das
ich noch mit China verſetzte und konzentrirter kochen
ließ, hierbey merkte ich Spuren der Eiterung. Die=
ſe nämliche Injektion ſpritzte ich auch in die Gebär=
mutter mit der Steinſchen Mutterklyſtierſpritze
ein, wo das Eingeſpritzte durch die Bauch=
wunde wieder heraus kam. Die Gebärmut=
terwunde war alſo doch noch nicht ganz ge=
ſchloſſen.

Nach dem angelegten Verband giengen wieder
ſehr viel Blähungen ab mit ſtarken Stuhl. Auch hörte
das Brechen nun gänzlich auf.

Sechſter Tag.

Die Nacht war ziemlich ruhig, doch gegen 2
Uhr des 23. kam ein unruhiger Schlummer, der
beym Erwachen mit ſtarkem Delirium begleitet war.
Allein gegen Morgen ſchlief ſie unter ſanfter Aus=
bünſtung eine Stunde ſehr ruhig. Während der
gan=

ganzen Nacht waren 4 bis 5 reichliche Ausleerungen durch den Stuhl da gewesen.

Der Tag war meistentheils leidlich, aber mit beständiger Diarrhöe, die aber nicht abmattete. Doch ließ ich Vormittags und Abends ein China-klystier geben, damit nicht etwa die Fäulniß überhand nehmen und ich auch dadurch gute Eiterung der Wunde bewirken möchte, die ich auch erhielt, denn bey dem heutigen Verbande, der wie gewöhnlich geschahe, ausser, daß ich die Plumaceaux mit dem Wunddekokt getränkt unmittelbar auf die Wunde legte und dann die Heftpflaster darüber, zeigte sich viel Eiter, der meist die conglutinirten Wundenlefzen wieder trennte. Gegen Abend erschien nur sehr wenig Fieber. Auch war die Nacht unter etwas Schlaf sehr leidlich. Doch dauerte die Diarrhöe fort.

Siebenter Tag.

Am 24: wurde früh nur ein Klystier aus China und Gummiarabicum gegeben, wodurch sich auch die Diarrhöe etwas verminderte. Des Nachmittags wurden Bähungen von gesättigten Chinadekokt und viel Salmiak mit balsamischen Kräutern und Campher abgewechselt, weil ein starker aashafter Geruch sich um die Kranke zeigte, der das ganze Zimmer anfüllte, dieser wurde noch viel lästiger, als ich die

Wun-

Wunde öffnete, aus welcher auch eine bräunliche
ſeh: ſtinkende Jauche herausfloß, die die Lefzen der
Wunde reizte und dadurch ein Jucken beym Verbande verurſachte. Auf Zureden und nöthige Vor-
ſtellungen nahm ſie jetzt alle 2 Stund 1 Taſſe dün-
nes kaltes Chinainfuſum, das nun aus vielerley
Betracht vorzüglich als ein fäulnißwidriges Mittel höchſt nöthig war. Der ganze Tag war
leidlich, auch aß Frau Patientin ihre gewöhnliche
Suppe. Gegen Abend bemerkte man das Fieber
etwas ſtärker als den vorigen Tag. Daher auch
die folgende Nacht unruhiger war, wozu aber auch
noch vieles der mit Fleiß feſter angelegte Verband
beytrug, damit nicht etwa die Blähungen die Wunde zu ſehr ausdehnten, und dann die Lefzen der
Wunde ſich deſto beſſer zuſammenfügen könnten.
Demohngeachtet hatten ſich ſo viel Blähungen ange-
häuft, die ihr viel Schmerz und Grimmen im Leibe erregten, daß ich mich genöthiget ſahe, von der
thebaiſchen Tinktur und verſüßten Salpetergeiſt zu
gleichen Theilen 50 Tropfen zu geben, worauf ſie bis
7 Uhr ganz wohl ſchlief, und hernach erquickt munter und vergnügt aufwachte, und am Leben wieder
Freude zu haben geſtund.

Ach-

Achter Tag.

Der 25. war unter dem Gebrauche der Mittel vom vorigen Tage sehr leidlich, die Wunde eiterte so stark, daß ich zweymal verbinden mußte. Das Plumaceaux bestrich ich mit Mekka Balsam mit Eydotter abgerieben. In der Nacht kamen doch wieder Aufblähungen mit entsetzlichem Gepolter und störten den Schlaf gänzlich. Daher mußte die obige Mischung aus der thebaischen Tinktur und dem versüßten Salpetergeist wiederholt we.den, die einen erquickenden Schlaf unter gelinder Ausdünstung brachte.

Neunter Tag.

Der 26. fieng sich erträglich und gut an bis auf den Nachmittag, wo sich etwas mehr Ausdünstung als gewöhnlich, einfand, doch schlief sie über eine Stunde ruhig. Je mehr sich aber der Abend näherte, desto geschwinder, völler und gereizter fieng der Puls an zu schlagen und die Hitze wuchs beträchtlich. Beym Verbande fand ich die Wunde gut eiternd, doch floß aus der Bauchhöhle noch immer eine bräunlichte Jauche, die scharf und aashaft roch. Und so konnte ich auch das eingespritzte noch immer durch die Bauchwunde heraustreiben. Sie aß aber mit Appetit etwas Sagosupp: und trank Mandelmilch.

Von

Von neun Uhr schlief sie bis nach 10 Uhr.
Nun äusserte sich etwas Unruhe, Blähungen und
Schmerz im Unterleib; die sich aber nach 1 Uhr
wieder verlohren und ruhiger Schlaf einfand, der
bis früh 6 Uhr dauerte.

Zehnter Tag.

Deshalb sie sich auch am 27. sehr munter und
wohl befand, obgleich der Puls etwas klein, die
Zunge trockener als gewöhnlich war. Besonders
war es indessen, daß bey dem ganzen bisherigen
Verlaufe der Krankheit die Farbe des Gesichts sich
wenig veränderte, doch war die Haut jetzt mehr
trocken, als vorher. Die Bauchwunde sahe gut
und schön mit gutem Eiter gefüllt und wurde schon
merklich kleiner. Doch in dem untern Theile hatte
sich wieder viel bräunliche mit Eiter gemischte Jauche von starkem kadaverösen Geruch angesammlet,
die durch Injektion wieder ausgespühlt wurde, niemals aber durch die Mutterscheide etwas herausfloß. Abends 6 Uhr war der Geruch aus der Wunde und von den Excrementen den Umstehenden heftig, und die Kranke beschwerte sich selbst darüber.
— Daher wurde in meiner Abwesenheit auf Anrathen des B. R. D. Buchholz der Aufschlag auf
dem Unterleib aus China-Dekokt und Salmiak dahin abgeändert, daß zu 4 Unzen Chinarinde und
einer

einer Unze Salmiak 2 Maß Weinessig und 2 Maß
Wasser genommen wurden. Auch wurde das In-
fus. chinae frigidum, so die Kranke zeithero zu ½
Theeschale genommen hatte, eine Stunde lang auf
den heißen Ofen gestellt, damit es etwas gesättigter
würde. Auch wurde Abends 10 Uhr die Mischung aus versüßtem Salpetergeist und der Thebaischen Tinktur zu nehmen verordnet, ob vielleicht durch solches der Anhäufung der Blähungen so
gewöhnlich Nachts 12 Uhr erfolgte, vorgebeugt
werden könnte.

Eilfter Tag.

Den 28. Decemb. Die Blähungen waren nicht
mehr so belästigend gewesen, und da der Ausfluß
aus der Wunde noch immer einen aashaften durch-
dringenden und in die andern Zimmer sich verbrei-
tenden Geruch hatte, wurde anstatt der Einsprigung
aus dem bloßen Chinadekokt, folgende injection
angewendet. ℞ G. Myrrhae el. ʒß coq. in ☿ fon-
tan. ʒix ad rem. ʒvij. colat adde Extr. cort. peruv.
ʒij. Mel. rosat. ʒj. m. p. injectione.

Zwölfter Tag.

Den 29. Der Gestank von dem Ausfluße aus
der Gebärmutter und Bauchwunde, welcher milchar-
tig zu seyn schien, und auch das Durchdringen der
Injektion verminderte sich, sowohl durch die neue

in-

injection, als auch durch den verſtärkten antiſep-
tiſchen Aufſchlag — es wurde auch alle 2 Stunden
½ Theeſchale voll von einem ſehr geſättigten Decocto
corticis genommen und in jede Portion 5 Tropfen
vom Ω ☉. dulc. getröpfelt um die Blähungen zu
befördern, und damit man nicht nöthig habe Abends
TR. Thebaica zu geben, welches doch die Stühle
verminderte.

Dreyzehnter Tag.

Den 30. war beynahe aller üble Geruch vermindert — doch wurde auf die vorige Weiſe mit
der Behandlung fortgefahren — es fand ſich auch
mehr Schlaf, welcher erquickend war, ein, die
Kranke bekam Hunger, es wurde derſelben einen
Tag um den andern etwas Taubenfleiſch und Hüh-
nerfleiſch erlaubt, auch bey der Mahlzeit ein kleines
Glas Bier.

Die wichtigſten Tage waren nun glücklich über-
ſtanden, die Frau Patientinn befand ſich von Tag
zu Tag immer beſſer, nur fühlte ſie erſt den Ver-
luſt ihrer Kräfte, die man auch ſuchte durch eine
etwas nahrhaftere Diät nebſt dem fortgeſetzten Gebrauche der Chinamittel zu erſetzen. Freylich mußte man ſuchen alles blähende zu vermeiden, das
leicht eine Veränderung und etwas mehr Unruhe
verurſachte. Indeß ſahen die Kranke und die Aerzte

te dem glücklichen Zeitpunct entgegen, wo man die
Kranke durchaus gefahrfrey erklären könnte. Die
Wunde wurde zwar von Zeit zu Zeit immer kleiner, demohngeachtet floß durch die mit Mühe durch
Hülfe einer Wieke an dem untern Winkel offen gehaltene Wunde noch immer viel gutartiger Eiter
heraus, der von beyden Seiten durch besondere Ka-
näle hervorzukommen schien, wenn man in die
Seiten einen starken Druck machte. Er wurde immer dicker und weniger, und man mußte ihn mit
Mühe herauspressen, wo aber doch allezeit noch etwas heraus kam, und die Injektion in die Gebährmutter spühlte nur noch wenig heraus. Deßhalb ich nicht allein bey meiner Abwesenheit wünschte, sondern mich auch bemühte, solche noch länger
offen zu erhalten, weil der Zufluß bisweilen ge-
ringer, bisweilen aber auch stärker wird, wie die
chirurgische Erfahrung solches lehret. Um aber
doch alle heimliche Ansackung oder Höhlen zu verhindern, ließ ich in die Seiten starke Compressen
legen, und die Kreuzbinde jederzeit ziemlich fest anziehen. Allein den siebenzehnten Tag nach der
Operation hatte sich die Bauchwunde völlig geschlossen, wobey mir versichert wurde, daß es nach
und nach geschehen, und mit der nöthigen Vorsicht
zugelassen worden wäre. Ich fand sie dann auch

Steidele Geburtsh. IV. Thl.   Q   wirk-

wirklich gut geschlossen. Und hiemit könnte ich die
Mittheilung meiner Kranken = und Operationsge-
schichte schließen. — Allein zur Steuer der Wahr-
heit und zur Vorsichtsregel für andere, erfordert
auch die Pflicht eines aufrichtigen Beobachters die
Folgen der Operation und der Heilung ferner
bekannt zu machen. Da man geglaubt hatte, es
wäre nun alles zugeheilt, meldete mir obenbe-
nannter Herr Raths = Chirurgus am 12. Jänner
1784. daß er beym Verbande in der rechten Seite
in den Därmen eine mäßige Geschwulst entdeckt
habe, die man aber vielleicht mehr einer aufgehal-
tenen Blähung oder verhindertem Stuhlgang zu-
schreiben könne. Allein Abends erfolgte Stuhl
und Blähung. Die Härte blieb und wurde den 13.
schmerzhaft.

Herr Bergrath Buchholz verordnete ein Li-
nimentum volatile und ließ es einreiben. Gegen
Abend kam Angst und ziemlich starkes Fieber. Man
gab ein Clystier aus Camillen und innerlich ein
Loth Rhabarbar Tinctur. Die Nacht darauf erfolgte aus der Mutterscheide eine beträchtliche Menge eines schleimichten und eiterartigen Ausflußes,
doch schlief Fr. Patientinn um Mitternacht ziemlich ruhig. Am Morgen hatte sich die harte Geschwulst ziemlich vermindert, doch empfand Fr. P.

beym

beym Berühren noch einen starken Schmerz, auch
blieb die Stelle etwas hart.

Am 14. gegen 4 Uhr Abends spürte Fr. P.
einen bohrenden Schmerz am untern Winkel der
Bauchwunde. Wie man es genau untersuchte,
fand sich auf der jungen Haut ein Bläschen einer
Erbse groß. Nachdem man dieses geöffnet hatte,
kam etwas gelbe Gallerte heraus, alsdann ein Eßlöffel voll übelriechender Eiter. — Sogleich war
Fieber, Geschwulst und Schmerz weg, sogar auch
auf der linken Seite, wo sich eine ähnliche Härte
mit Schmerz gezeigt hatte. Aus der Mutterscheide floß nun nichts mehr, und es erfolgte eine sehr
ruhige Nacht. Die Nacht hindurch war viel Eiter
aus der Wunde geflossen, allein beym Verbande am
15ten kam nach einem gelinden Drucke wenig heraus und die Injektion brachte fast nichts mit.
Man spritzte wieder durch die Mutterscheide ein,
worauf die Injektionsmasse wieder durch die Bauchwunde herausquoll. Hierauf wurde wieder eine
Wieke mit Digestivsalbe bestrichen eingebracht und
verbunden, wie vorher.

Ob mich gleich dieser Zufall eben nicht so
sehr in Verwunderung setzte, weil die Wunde theils
zu schnell zugeheilt war, theils sich eine Härte zeigte, die wahrscheinlich von einer Milch Metastase

Q 2				ent-

entstanden war, da kurz vorher Härte mit Stichen
in den Brüsten und wirklicher Milchausfluß erschien, auch noch dazu kam, daß sich theils die Periode der Veränderung der weiblichen Natur näherte
und sie das Kind nicht selbst gestillt hatte, theils daß sie
beym Gehen immer über eine Schwere in den Schoos-
lenden und Schenkeln spürte; so verursachte dieses alles
etwas Aufsehen, und man fing an zu glauben, daß
eine vollkommene Heilung wohl nicht erwartet
werden dürfte.

Das alles erschütterte aber meinen Muth ganz
und gar nicht. Denn kennt man die Quellen eines
raschen Strohms, so kennt man auch die Mittel
sie zu stopfen, dann lasse man ihn etwas verlau-
fen, ergreife muthig aber immer vorsichtig die
Werkzeuge und mit diesen wende man die Mittel
am richtigen Ort an, so sind alle Fluthen bald wieder gedämpft. Und ist die Natur selbst so wohl-
thätig da zu verweilen, oder wohl gar das gut zu
machen, weil die Kunst zu voreilig war, so wird
der kluge Arzt, dem der Gang der Natur schon
aus Erfahrung bekannt ist, wenn eine gründliche
Heilung erfolgen soll, sehr gern annehmen, ihr
noch dazu danken, und nach seinen Einsichten und
Kenntnissen die Wege noch mehr zu bahnen suchen.

So-

Sobald ich die Wunde gesehen und näher unter-
sucht hatte, fand ich, daß ich die silberne Sonde
durch die Bauchwunde in die Gebährmutterwunde
einbringen und durch die Mutterscheide wieder herausziehen konnte. Ich ließ also einspritzen, und
mit einer aber etwas größern Wieke verbinden,
wie vorher.

Innerlich ließ ich zu dem bisherigen noch immer fortgenommenen China-Aufguß Isländisch
Moos setzen, um die Austrocknung desto geschwinder zu bewirken, worauf sich der eiterichte Ausfluß auch ausserordentlich verminderte, doch fand
sich ein mehr, als gewöhnlicher Schweiß ein, der
aber mehr vom resorbirten Eiter, auch der faulichten Materie in den ersten 10 Tagen nach der Operation, in das Blut, und dem daher entstandenen
schnellern Umlauf entstanden seyn mag. Bald darauf aber befand sich Fr. Patientinn so wohl,
daß sie merklich fühlte, daß die Schwäche in Lenden und Beinen gewichen war, und sie so viel
Munterkeit und Kräfte empfand, daß sie viel auf-
seyn, gehen und sich mit Leichtigkeit bewegen
konnte.

Die Schweiße verminderten sich auch von
Zeit zu Zeit, weil aber Verstopfungen sich ein-
fanden, so ließ man es wieder weg und nahm nur

einen

einen bloſſen China Aufguß, auch immer ſeltener
als vorher. Hingegen gab man in der Diät etwas
zu, um ſie wieder nach und nach an die gewöhnlichen Speiſen gewöhnen zu laſſen. Die Wunde eiterte gelinde. Doch ließ ich auf den beyden harten
Seitenſtellen ein erweichendes Pflaſter legen, das
auch ſeine guten Wirkungen that. Dagegen aber
machte die etwas große Wieke doch ziemlichen Reitz,
ſo daß die Fr. P. viel unangenehme Empfindungen
auszuhalten hatte. Denn bey jeder Bewegung rieb
die Wieke und machte Schmerz. Deßhalb freylich
eine baldige Abänderung gewünſcht wurde, die ich
auch machte, ſobald ich die Wunde geſehen und
wieder unterſucht hatte. Uebrigens war alles wie
vorher.

Um die Oeffnung herum fand ich freylich
ziemlich wildes Fleiſch, das ich genöthiget war,
theils durchs Meſſer, theils durch Höllenſtein
wegzunehmen. Die Wunde ſuchte ich nach und
nach durch eine Preßwieke zu erweitern, damit ſie
ſich nicht wieder zu bald ſchließen möchte, weil ich
beſonders doch erſt die Zeit abwarten wollte, wo
nach der Rechnung das Ordinäre eintreten, oder
wenn ſich ein Milchdepot etwa wieder anſetzte,
leichter durch die Wunde abgeben möchte. Dieſes
alles bewirkte einen ſolchen Reitz, der etwa eine

halb

halbe Stunde nach dem Verbande eine folche fieber=
hafte Erfchütterung hervorbrachte, daß fie der Froſt
im Bette hoch in die Höhe warf. Ohn-ıchtet ich
fogleich warmen Thee und etwas Liquor cornu
cervi fuccinatus gab, hielt er doch beynahe eine
halbe Stunde an, hierauf erfolgte mäßige Hitze
und etwas Schweiß, alsdenn war alles vorüber
und fie befand fich wieder wohl.

Den andern Tag hatte die Preßwieke die Wun=
de fehr gut erweitert. Aus der Gebährmutteröff=
nung fchien mit der Injektion nichts eiteriges mit
heraus gefpühlt zu werden, und fie verengerte fich
auch immer mehr und mehr, doch beym Berühren
empfand Fr. P. nichts.

In den Dünnen an beyden Seiten zeigte fich
den 13. Februar wieder etwas Schwulſt und Här=
te, bald darauf erfolgte aber ein ſtärkerer eiteriger
Abgang, der fich nun aber von Tag zu Tag ver=
minderte, auch die Bauchwunde fich fchließen woll=
te, doch drang die in die Scheide gebrachte Injek=
tion immer wieder durch die Bauchwunde heraus,
folglich mußte an der Gebährmutter noch immer
Oeffnung feyn.

Die fieberhaften Bewegungen hatten fich nun
verloren. Fr. Patientian ging herum, aß und
fchlief gut, nur hatte fie noch biefe Oeffnung.

Fo

Ich hätte die Bauchöffnung leicht zuheilen laſſen
können, denn die Natur eilte, aber um der Sicherheit willen ſuchte ich ſie durch Preßwieken immer offen zu erhalten, da ohnedem die Mutterwun-
de ſich noch nicht geſchloſſen hatte. Die Bauchwunde zuzuheilen, in der Erwartung, daß die Gebärmutterwunde auch zugleich zuheilen würde, war
mir zu unwahrſcheinlich, zweifelhaft und ungewiß,
daher ſuchte ich doch eine gründliche Heilung zu
bewirken, um nicht etwa eine Art Fiſtel da zurück
zu laſſen, und ſchloß analogiſch von der Operation
der Thränenfiſtel hieher. Nehmlich ich drehte vier-
fachen Zwirn zuſammen, zog ihn etliche mahl durch
weißes zerfloſſenes Wachs und machte mir Wachs-
kerzen, dieſe brachte ich durch die Bauchwunde in
die Gebärmutterwunde, und von da in die Mutterſcheide ſo weit, bis ich ſie faſſen, unten und oben
hin und her ziehen konnte, die Gegend, wo ich
glaubte, daß ſie das kallöſe der Gebärmutter berühren möchte, beſtrich ich mit Unguento aegyptiaco.
Dieſes verurſachte der Fr. Patientinn ganz und
gar keine Unbequemlichkeiten.

Das erſte blieb etliche Tage liegen und wurde
nur zuweilen bewegt, verurſachte aber die erſten
Tage gar keinen Reiz. Es wurde das zweyte eingebracht und blieb wieder etliche Tage liegen, dann
wurde

wurde es herausgenommen, welches etwas Schmerz und Bluten verursachte. Dieses erregte auch wieder einen gelinden Fieberanfall.

Ich ließ selbige nun weg, worauf den andern Tag ziemlich viel Schleim mit Blut vermischt abging, das ich für etwas Monatliches hielt, weil es eben die Zeit war, es verwandelte sich den darauf folgenden Tag auch in Blutschleim. Kein Fieber wurde bemerkt, und Fr. Patientinn war sehr leidlich, doch drang die Injection noch immer durch. Allein es ging auch mehr Schleim durch die Mutterscheide, als gewöhnlich, mit viel Empfindung in der Gebährmutter, das mir nun mehr Hoffnung zur gänzlichen Genesung gab.

Um nun die wirkliche Heilung zu befördern, ließ ich in die Wunde etwas echten Balsam de Mecca, den ich einmahl von einem vornehmen Patienten erhalten hatte, fließen, und damit verbinden.

Es ging alles nach Wunsch, der Eiter verminderte sich zusehends, die Gebärmutteröffnung wurde kleiner, die Injection drang nunmehro schon schwächer durch. Dabey ging aus der Scheide immer etwas zähes Wasser aber reiner Schleim ab. Merkwürdig, daß nun wieder etwas Milch in die Brüste trat, die sich lange nicht gezeigt hatte, doch

nach

nach vier und zwanzig Stunden verlor sie sich, jedoch ohne unangenehme Zufälle.

Die Wunde war immer kleiner mit sehr geringen Auswurf. Um die Bauchhöhle so viel zu verengern und die Muskeln und das Darmfell an die Gebärmutter so nahe zu bringen, als möglich, ließ ich immer mit starken Compressen auf die Leisten- und Schamgegend verbinden. Den 24. Februar ohngefähr war die gänzliche Verheilung geschehen und kein widriger Zufall wurde verspürt.

Die Haut der Wunde etwas härter zu machen, ließ ich zuweilen kleine Compressen in Goulardisch Bleywasser getaucht auflegen, den Leib in einer Binde tragen, so wie ich sie in meinem Hebammen-Unterricht für Schwangere oder Wöchnerinnen Seite 104. beschrieben habe, den ganzen Leib ließ ich zuweilen mit kaltem Wasser waschen. Alsdenn sie nach und nach an Luft, die ihr im Anfang doch immer kleine fieberhafte Veränderung machte, und an ihre gewöhnliche Diät gewöhnen. Die Kräfte sammelten sich nun schnell, der Körper nahm zu und ich fand sie bey meinem letzten Besuch am 2. März so wohl aussehend, munter und blühend, als ich sie vorher nie gekannt habe. Von der Zeit an genießt sie einer völligen Gesundheit, und ist der menschlichen Gesellschaft und ihren

Freun-

Freunden nun ganz wieder geschenkt worden. Gott vermehre ihre Tage, und lasse sie stets eine dauerhafte Gesundheit bis in die spätesten Jahre genießen. Zum Schluß darf ich mir wohl noch einige Reflexionen über diese abgehandelte Geschichte erlauben, um besser einsehen zu können, warum ich so und nicht anders verfahren habe.

Bey einer Dame, von so gesunder körperlicher Beschaffenheit, von so guten Säften, von so viel heroischer Entschlossenheit hat man nicht Ursach etwas blos zu wagen, sondern man hat Gründe genug vor sich, wenn man gewohnt ist nach Gründen zu handeln, so etwas zu unternehmen.

Hätte man nicht ein milderes Mittel als den Kaiserschnitt anwenden können? Nach den vorseyenden Umständen und nach meinen Einsichten und Erfahrung in der Entbindungskunst war kein anderes möglich, um Mutter und Kind zugleich zu retten. Denn das Osteosteatom hatte die Beckenhöhle so ausgefüllt, daß es den untersuchenden Finger nicht allein täuschte, als ob der Kopf des Kindes schon völlig in die Beckenhöhle gerückt wäre, sondern der ganze hieraus entstandene halbmondförmige Durchgang war nicht breiter als etwa einen und einen halben Zoll. Dazu kam noch, daß die Mutterscheide so verwachsen war, daß sich nur eine

eine Oeffnung vorfand, durch die mit Mühe meine Zeigefingerspitze durchdringen konnte, hinter welchen noch weit oben nun erst der Muttermund und der Kopf des Kindes saß. War hier möglich irgend ein Instrument anzubringen? Würde eine Hand haben eingehen, würde ein Haken, eine Zange, ja ich will das grausamste nennen, ein Kopfbohrer oder ein schneidender Haken haben angebracht werden können, wenn man auch die Zerstückung des Kindes hätte unternehmen wollen? Sie hatte zwar zweymahl schon geboren, einmahl durch die schmerzhafteste Wendung, das anderemahl durch den Kopfbohrer, allein alles dieses konnte itzt nicht statt finden: weil ein seit dritthalb Jahren entstandenes Osteosteatom in der Beckenhöhle saß, dessen Ursache der Entstehung ich itzt nicht untersuchen mag; das ich aber noch gedenke durch den Beystand Gottes und schickliche Mittel zu heben. —

Aber vielleicht wäre die Trennung der Schamknochenfügung besser gewesen? wurde mir irgend einmahl vorgesagt. Ich habe alle Ehrfurcht für diese fürtrefliche Erfindung und bin wirklich fest von ihrem Nutzen überzeugt, wenn sie nur erst wird durch noch mehrere Hände gegangen seyn, um die Fehler zu entdecken, die dabey vorgehen

hen können, die Regeln zu erlernen, die uns vor
mehrerer Dreiftigkeit und Gefahr warnen, und die
Mittel anzuwenden, die fo manche Gefahr abwen-
den können.

Diefe Erfindung ift von unläugbarem Nutzen,
wer felbft Hand angelegt und auf irgend eine Art
Verfuche gemacht hat, den Beckenbau, den Eintritt des Kopfs in das Becken und andere Umftän-
de, die bey fchweren Kopfgeburten vorkommen,
kennt.   Daher fie gar nicht verworfen werden kann.

Diefer Schnitt kann nur vorgenommen werden, wo folche Hinderniffe in dem Beckenbau,
oder am Kopf des Kindes find, die durch
eine Erweiterung des Beckens von 2 bis 3
Zoll überwunden werden können.   Ob nun
aber nicht durch diefe außerordentliche Ausdehnung
der Theile, z. B. des Kitzlers, der Urinblafe, der
Blutgefäße und Nervenbündel im Becken, der Knor-
pelfügung des Heiligenbeins mit den Ungenannten,
Druck, Quetfchung, Entzündung, bleibender
Schmerz, Lahmgehen und Hinken 2c. entftehe, ift
eine andere Frage. (*) Ich will wirkliche Verletzung

des

(*) Die erfte Heldinn Madame Souchot konnte im zehenden Monat nach der Operation noch nicht bequem gehen, nur mit
harter Mühe die Treppen fteigen, und in dem untern Winkel des
Einfchnitts war eine Harnfiftel und unwillkührlicher Abgang des
Urins, fie klagte über Schmerz in beyden Schenkeln, und war
überhaupt kränklich. Siehe Zunczowsky mediz. chirurg. Beobachtungen auf feinen Reifen. Wien 1789.

des Kitzlers und der Urinblase nicht nennen, denn diese sind oft Folgen des plumben und unvorsichtigen Chirurgen oder Accoucheurs.

Doch kann man auch nicht läugnen, daß insofern weniger Gefahr dabey ist, wo sie am richtigen Ort angebracht wird, in wie fern die Gebärmutter nicht verwundet wird, welches beym Kaiserschnitt nothwendig geschehen muß.

Hat der Kopf keine fehlerhafte Lage im Becken, und diese wäre auch erst zu removiren, ehe man die gewisse Anzeige zu diesem Schnitt machen wollte; sondern ist gehörig eingetreten, und ist kein gehöriges Verhältniß in den Durchmessern: so wird diese Operation allezeit nutzbar seyn.

Unter dem gehörigen Eintreten verstehe ich aber: er muß im schiefen Durchmesser des Beckens eintreten. Denn nimmt man an, der Kopf müsse durchaus im kleinen Durchmesser des Beckens eintreten, so kann der Schnitt nichts helfen. Denn diese Linie wird alsdenn wenig oder gar nicht verlängert und das war von jeher der Haupteinwurf aller Gegner und er war von Gewicht.

Fritt

Tritt aber der Kopf im schiefen Durchmesser zur Geburt ein, wie er als das natürlichste allezeit thun muß, so kann der Nutzen dieses Schnitts gar nicht geläugnet werden.   Der Augenschein lehrt es schon, und eine bloße Fadenmessung giebt den überzeugendsten Beweis.   Ich habe mich immer gewundert, da ich im stillen beobachtend, den Streitern, mit und ohne Waffen, geübten und ungeübten, nachbethenden und vorsagenden zugesehen habe, daß man diesen wirklich entscheidenden Beweis nicht mehr urgiret hat.

Vielleicht nehme ich aber einen Satz an, der noch zu erweisen wäre, und — nun läge mein so trefflich scheinender Beweis. — Allein die Sache ist gesagt, von einigen erwiesen, und ich kann noch einige Erweise zusetzen.

Nahm Smellie und andere englische Aerzte nicht schon an: der Kopf trete im grossen Durchmesser ein, wo aber nicht alle Hebärzte beystimmen wollten und konnten? Aber auch dieses wäre schon für die Schamknochentrennung gewesen.

Bey verschiedenen schweren und widernatürlichen, aber auch natürlichen Geburten suchte ich mich immer genauer von verschiedenen und vielmehr von der wahren Meinung über das Eintreten des Kopfs

ju

zu unterrichten, wo ich ihn aber faſt immer beym Eintritt in die Beckenhöhle im ſchiefen Durchmeſſer fand. Sogar bey fehlerhaften Kopflagen fand ich ihn ſo, und wollte ich eine gute Kopflage machen, ſo mußte ich ihn ſuchen in den ſchiefen Durchmeſſer zu bringen, und dann — glückte es mir beynahe immer.

Dergleichen Geburten habe ich ſeit meiner etwa achtjährigen Praxis über achtzig gemacht. Bey der Wendung wird der Kopf nie leichter und geſchwinder durchgehen, als wenn man ihn in den ſchiefen Durchmeſſer dreht.

Bey Anlegung der Zange bin ich noch auf merkſamer geworden, da nach der gewöhnlichen Anleitung ſie gerne auf beyden Seiten einzubringen, oft die Löffel ſo lagen, daß der eine ſelbſt ſeitwärts am Hinterkopf und der andere an der einen erhabenen Seite des Stirnbeins oder ſeine Merkmale ſich fanden, ohnerachtet ich mir ſchmeicheln kann, die Zange allezeit Kunſtgerecht angelegt zu haben. Das iſt gewiß mehtern Accoucheurs ſo geſchehen, und geſchahe mir ſo lange bis ich einen andern Vortheil die Zange anzulegen erfänd. Seit dem begegnet mir das nicht mehr, überzeugt mich aber allezeit, daß der Kopf im ſchiefen Durchmeſſer eintrete.

Ende

Endlich überzeugten mich auch noch einige Leichenöffnungen einiger in der Geburt verstorbener. Bey zweyen war ich mit dem sel. Hofrath Neubauer gegenwärtig, und drey hab ich selbst gehabt. Bey der einen machte ich zu meiner eigenen und einiger meiner vorzüglichen Zuhörer Instruktion den Kaiserschnitt, bey der andern war die Gebärmutter zerrissen, und der Kopf stark in der Beckenhöhle, die ich nebst einer dritten genau öffnete und untersuchte, und es allezeit so fand. Daher so oft ich mich auch bey einer natürlichen Geburt, wo ich nur etwas näher untersuchen kann, mir gar kein Zweifel übrig bleibt.

Neuerer Zeit sucht auch Baudelocque in seiner vortrefflichen Entbindungskunst, welche durch die Uebersetzung und gelehrten Anmerkungen des Herrn Professor Meckel in Halle noch unendlich gewonnen hat, diese Theorie ernstlich zu behaupten.

Nach dieser Theorie wird alsdenn freylich die Oeffnung weiter, und der Kopf geht nun leichter durch. Um mich auch hiervon ganz zu überzeugen, hab ich an Thieren und verstorbenen Menschen Versuche gemacht. An zweyen mit noch bey sich habenden Kindern und an drey andern, wo die Trennung nicht allein leicht und geschwind geschahe,

Steidele Geburtsh. IV. Thl.   R   son-

ſondern die Beckenöffnung merklich weiter und vorzüglich der ſchiefe Durchmeſſer länger wurde. Daß
aber die Heilig - und Ungenannten - Beinknorpelfü-
gung viel leiden, die Bänder zerreiſſen, hab ich nach
näherer Unterſuchung ſehr deutlich geſehen. Und
daß bey der Wiederzuſammenfügung und dem Verband manche Geſächßen und Nerven in die Fü-
gung kommen und gequetſcht werden, glaub ich
ganz gewiß. Doch ein vorſichtiges Verfahren kann
alles verhüten, und der Nutzbarkeit der Sache wird
dadurch nichts benommen.

Wie aber einige Gelehrte dieſen Schnitt dem
Kaiſerſchnitt haben vorziehen wollen, kann der erfahrne und einſichtsvolle ſich kaum denken. Eher
könnte man den Kaiſerſchnitt jener Operation überall vorziehen. Allein beyde haben in ihren Einſchrän-
kungen und an ihren beſtimmten Orten gleichen Nutzen, ob man gleich noch ſagen könnte: wo die
Schamknochentrennung aufhören muß, da kommt
der Kaiſerſchnitt noch immer fort und beendigt das
Werk.

Daher, wo der Durchgang durch das Becken,
entweder von der widernatürlichen Verwachſung der
Weichentheile ganz verſchloſſen iſt, oder durch fehlerhaften Bau des Beckens, oder durch widernatürliche
Auswüchſe ſo verengt iſt, daß, wenn es ſich auch

noch

noch etliche Zoll ausweiterte, doch der Kopf nicht durchgehen kann, oder das Kind in der Muttertrompete, dem Eyerstock, der in der Bauchhöhle sitzt, oder wo eine solche Querlage ist, daß keine Wendung statt finden kann, so ist kein anderes Hülfsmittel, Mutter und Kind oder doch eins von beyden zu retten.

Bey oberwähnter Fr. v. L** war also der eine Fall: auch der kleinste zerstückte Theil der Frucht hätte nicht durchgehen können. Und wie viele sind, die sich nicht einmal bis auf zwey bis drey Zoll zerstücken lassen? Kein anderes Rettungsmittel war also hier als der Kaiserschnitt.

Die weiße Linie wählte ich nicht blos zum Einschnitt aus Nachahmung, weil es die meisten grossen Accoucheurs als den einzigen vorzüglichen Ort angeben; sondern weil es hier nöthig war. Denn ich halte dafür, wo die größte Erhabenheit ist, muß man den Einschnitt machen, die oft ganz allein auf der einen, oder der andern Seite gefunden wird. Sehr oft sitzt die Gebärmutter höchst merklich auf einer Seite; oder der Fötus ist in der Muttertrompete oder im Eyerstock, dann muß man nothwendig den Einschnitt auf der Seite machen. Durch die weiße Linie würde man auf die Gebärmutter nicht so treffen, daß man ohne Mühe und

R 2 wohl

wohl gar mit Gefahr einen Einſchnitt würde machen können. Sind dieſe Ausnahmen nicht zu machen, dann hat die weiße Linie den Vorzug. Denn
Faſern, die der Länge nach nur getrennt ſind, fü-
gen ſich viel geſchwinder zuſammen, als die der Quere
nach getrennt ſind. Ferner werden nie ſo viel Gefäße
zerſchnitten, als auf der Seite, wo mehrere ſind,
vorzüglich die ſtärkern und größern Aeſte der Arteria epigaſtrica, davon man einen oder mehrere
Aeſte nothwendig treffen muß, woraus eine ſtär-
kere Verblutung entſteht, die die Operation wenigſtens verzögert. Bey jener aber nur einzelne Spitzen und kleine Pulsadern getroffen werden. Das
gilt auch von den Nerven. Endlich kann man durch
den Verband eine viel ſchicklichere Zuſammenfügung
bewirken.

Beym Einſchnitt in die Gebärmutter muß man
ſo geſchwind, als möglich verfahren, weil die Faſern unter dem Meſſerzug auseinander gehen und
reiſſen, ſo daß es mehr eine geriſſene, als geſchnit-
tene Wunde iſt, dieſe vertheilen ſich bekanntlich ſchwerer, als die ſcharfgeſchnittenen. Daher, um meinen
vermeinenden Fehler zum Unterricht und Nutzen für
andere gar nicht zu verhehlen, ich immer glaube,
daß ich die Gebärmutterwunde nicht weit genug ge-
ſchnitten hatte, und in dem untern Winkel ſie noch

eletwas weiter geriſſen war. Sie machte also da gleichsam einen stumpfern Winkel, in der Folge Vereiterung und vielleicht gar ein kallöſes Loch, das ich alsdenn nur erſt im Stande war, durch ein ä<u></u>zendes Wachskerzchen wund zu machen, und dadurch die gänzliche Schließung der Gebärmutterwunde zu bewirken.

Beym Einschnitt der Gebärmutter hatte ich zwar einen kleinen Abschnitt des Mutterkuchens getroffen; es gab aber doch eine starke Verblutung und sollte ich wohl irren, wenn ich die starke Vereiterung und die langwierige Vertheilung dieſem Zufall meistentheils zuschreibe. Denn der Zufluß von Säften war an dieſem Ort der Gebärmutter von Natur stärker; die ganze Substanz war lockerer und auch die Verwundung empfindlicher, wo eine bloße Löſung schon oft Vereiterung hinter ſich läßt.

Um mehrerer Sicherheit willen rathe ich allezeit, wo möglich, die Nachgeburt gleich durch die Wunde zu löſen und mit ihr ja sorgfältig alle Häute mit wegzunehmen. Wie wäre es möglich geweſen, in dieſem Fall die Nachgeburt durch den Muttermund zu holen? Aber eben so wenig hätte ich noch die zurückgebliebenen Häute können herausbringen. Wären dieſe ſitzen geblieben, und hätten den Mut

ter-

termund verſchloſſen, was für Nachtheile wären
nicht daraus erwachſen? die Gebärmutter konnte
ſich nicht gehörig zuſammenziehen. Es wäre eine
Blutaufblähung entſtanden, hätte noch eine innere
tödtliche Verblutung und andere Gefahren mehr
hervorbringen können. Die Verbindung der Wunde mit Heftpflaſtern zog ich der gewöhnlichen Bauchnath um deswillen vor: weil man theils der Patientin mehr Schmerz macht. Denn man muß doch
wenigſtens ſechs Stiche machen, dabey muß man
ſich länger verweilen. Man kann ſehr leicht einen
Darm mit einklemmen, den ich ohne die ganze Hef-
tung wieder aufzuſchneiden nicht ſo leicht löſen
kann. Man iſt in Gefahr, daß die Hefte ausreiſ-
ſen oder durchfaulen, wo man wieder von neuem
heften muß, und man kann die Wunde nie als eine wirklich offne Wunde ſo gut behandeln, wie man
will.

Den erſten Verband nehme man weg, ſobald
man Urſachen hat es zu thun, und laſſe ihn eben
nicht drey Tage nach der gewöhnlichen Regel liegen. Sieht man nach vier und zwanzig Stunden
nach, ſo kann man manches übele Symptom verhüten, als Einklemmung ꝛc. Hat man kein widriges
Symptom, und ſteht alles gut, ſo kann man ihn
auch länger liegen laſſen.

Das

Das Brechen war das unangenehmfte Symptom, das mich, weil es so lange anhielt, am mei-
ften beunruhigte.

Es war mir wohl bekannt, daß es bey diefer
Operation kein ungewöhnlicher Zufall war. Es
war mir bekannt, daß, wenn ein fogenanntes edles
Eingeweide verwundet wird, z. B. Leber, Hirn ꝛc
oder auch die Luft die Gedärme berühret, meiften-
theils ein Brechen fich einfindet. Allein die Heftigkeit und die damit anhaltende Verftopfung des Stuhls
konnte mir wohl einige Bedenklichkeiten erregen.
Und ich zweifle noch immer bey mir felbft, ob ich
nicht etwa einen Darm wirklich eingeklemmt, oder
den Leib zu ftark gebunden hatte. Denn wie ich
den Verband ganz weg nahm, lief der untere Leib
mehr auf, alles erhielt mehr Raum, und dann er-
fchien mir an dem obern Winkel der Wunde gleich
auf der Gebärmutter ein dunkelrother entzündeter
Theil des Dünndarms, den ich behutfam höher in die
Bauchhöhle fchob. Genug durch Hülfe häufiger Klyftiere kam von nun an Oeffnung, und das Brechen
wich. —

Hoffentlich wird man mich auch der häufigen
Klyftiere wegen nicht tadeln, wodurch ich gewiß die
Entzündung abzuwenden fuchte, und die Arzneyen

da-

dadurch erſetzen mußte, die nicht durch den Mund
genommen werden konnten.

Beſonders merkwürdig ſcheint mir ein Um-
ſtand, daß die Frau Patientin ſchon etliche Tage
nach der Operation alles vergeſſen hatte, was während der Operation vorgegangen war, ohnerachtet
ſie völliges Bewußtſeyn und den ganzen Tag über
Gegenwart des Geiſtes hatte. Denn ſie ſprach vor,
während und nach der Operation über die Sache
ſelbſt ſehr paſſend: z. B. der Schnitt, wie er geſchahe, ſey doch etwas ſchmerzend. Ob das Kind heraus ſey, ob die Nachgeburt da ſey, ob ich noch einmal ſchneiden müßte ꝛc.

Die Haupt-Idee bey der ganzen Operation
war ohne Zweifel, die Erwartung des glücklichen oder unglücklichen Ausgangs, die noch
nach der Operation fortdauerte. Daher die andern
ob ſie gleich dem Gefühle nach ſchienen ſtärker zu
ſeyn, doch leichter und flüchtiger eingedruckt worden
waren. Dieſes kam nothwendig von dem Mangel einer ſtarken Attention, oder vielmehr von
einer zerſtreuten Attention. Denn das empfinden-
de Weſen, wurde ſich der Eindrücke nicht aller
bewußt, ſo wie ſie mit den Verbindungs-Ideen
waren gemacht worden. Daher es auch nicht
möglich war, ſie wieder zurückzurufen und nahm-

haft

haft zu machen. Genug sie waren durch die Haupt - Idee verdunkelt oder wohl gar ausgelöscht worden.

Wie oft lesen oder sprechen wir von gewissen Materien, haben aber noch eine andere Idee, die uns hauptsächlich dabey beschäftiget, verfolgen diese, und nach kurzer Zeit wissen wir, weder was wir gesprochen, noch gelesen haben.

Sollte wohl auch der Heroismus männlich und gefühllos zu übernehmen, und nichts zu achten, nicht etwa eine Betäubung und das Bewußt= seyn gleichsam berauscht haben? Sollte es nicht Aehnlichkeit mit dem wirkenden Zorn haben, wo wir voller Wuth uns Rache nehmen, und die angethane wahre oder vermeinte Beleidigung auslöschen wollen, dabey oft solche Hiebe, Schläge und Stiche erhalten, deren wir uns weder bewußt sind, noch uns, wenn nachher unser Geist wieder ruhig alles des vorhergegangenen erinnern können, selbst nicht der erhaltenen Verletzungen, bis sie wieder aufs neue schmerzen?

Der Herr Verfasser dieses hier beschriebenen und von ihm mit der belobungswerthesten Geschick= lichkeit unternommenen Kaiserschnitts hat mich in seiner gütigen Zuschrift mit seinem Vertrauen beehret, und befraget, ob dann keine Operation statt

ſtatt fände, dieſe Dame auch von ihrem Oſteoſtea-
tom zu befreyen, und folglich ganz zu retten? Ob
mir gleich die ganze übrige Beſchaffenheit dieſes
Gewächſes unbewuſt, und folglich hierüber hart zu
urtheilen iſt: ſo ſcheint mir doch jede Art der Ausrottung deſſelben bedenklich, ja höchſt gefährlich
zu ſeyn; 1) macht der Ort und enge Raum die
Operation faſt unmöglich; 2) iſt eine gefährlichere
Blutſtürzung, und 3) wenn dieſe auch nicht ſo
dringend wäre, eine den Brand drohende Entzündung zu fürchten; 4) geſetzt auch, ſie überſtehet alle
dieſe Lebensgefahr drohenden Folgen: ſo fürchte
ich ein chroniſches Uebel, wenn etwas vom Gewächſe zurückbleibt, oder benachbarte Theile verletzet werden.

Meine Meinung wäre die Operation bis auf
die Erſcheinung einer vielleicht ſich äuſſernden vor-
theilhaften Veränderung von Seite der wohlthätigen
Natur zu verſchieben, oder in Ermanglung ſolcher
gar zu unterlaſſen.

Derley Gewächſe pflegen, obgleich ſelten, an
der knorplichten Verbindung der Darmbeine mit
dem heiligen Bein von Ausartung und Auswach-
ſung der Knorpeln, und hierauf erfolgter Anhäufung und Stockung der Säfte in den benachbar-
ten weichen Theilen und Gefäßen zu entſtehen.

Der

Der Knochenfaft, wenn er nach einer Trennung der Schambeine, oder der Darmbeine vom heiligen Bein, sich mehr oder weniger ergiesset, und stocket, verursachet wahrscheinlicher derley entstehende und fast unmöglich auszurottende Gewächse.

Hiemit beschließe ich dieses Werk, welches nur jungen und ungeübten Geburtshelfern zum Leitfaden dienet. Ich habe alle in der Geburtshülfe übliche Instrumentoperationen in der Kürze beschrieben, so wie ich sie meistens aus meiner eigenen und anderer geschickten und berühmten Geburtshelfern Erfahrung gelehret habe.— Wenn ich schon nicht die Geburten, die ich behandelt habe, nach tausenden zählen kann: so habe ich in meiner vieljährigen und zahlreichen Ausübung doch so viel erfahren, daß ich mich getrauen darf, etwas beyzutragen, um die Schüler in der Geburtshülfe regelmäßig zu unterrichten, und also zu bilden, daß sie mit den bedrängten Gebärenden menschlich verfahren, und durch eine glückliche Ausübung die Ehre und Aufnahme der Kunst zum Wohl des Staates befördern helfen.

Der enge Raum verstattet mir nicht, durch Beyspiele aus der Erfahrung, Beweise von dem glücklichen Erfolge meiner Entbindungsart anzufüh-

ren.   Wenn ich werde reicher an Beobachtungen
seyn: so gedenke ich eine Sammlung der merkwür-
digsten herauszugeben, die aber richtig und ungekünstelt
seyn müssen; vielleicht finde ich bis dahin Gelegenheit, manches zu verbessern, und aus seltnen Bey-
spielen, deren ich schon viele aufgezeichnet habe, noch
mehrers zu erlernen, was ich alsdann mit vielem
Vergnügen bekannt, und darüber meine Anmerkungen machen werde.

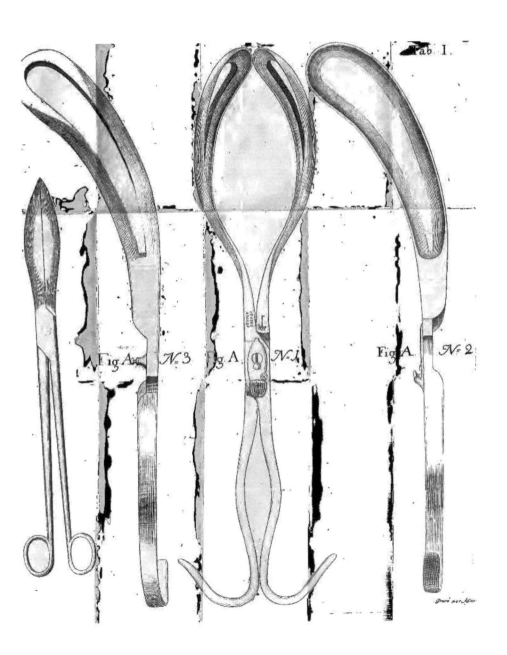

Tab. I.

Fig. A. N.º 3   Fig. A. N.º 1   Fig. A. N.º 2

289

Druck:
Customized Business Services GmbH
im Auftrag der KNV-Gruppe
Ferdinand-Jühlke-Str. 7
99095 Erfurt